刑事法の要点

要点

[第二版]

前田雅英 著

東京法令出版

第二版はしがき

　本書は、警察官をはじめとする、日本の刑事司法実務に携わられる方々に、「現在の刑事法」の全体像を理解していただくためのものである。版を改めた理由は、主として法改正、新判例の登場にあるが、社会の大きな変化の兆しが、刑事法解釈の基本的部分にも影響を及ぼしそうだと感じたからである。

　ロシアのウクライナ侵攻という世界史的事件が、法理論にどのような影響を及ぼすかという点は、もう少し時間をおいて分析・評価しなければならないが、コロナ禍とそれに結びついたデジタル化の加速やサイバー社会の拡がりは、刑事法の解釈にも大きな影響を及ぼすと思われる。具体的には該当箇所で講じるが、はじめに一点だけ申し上げておくとすれば、ネットによるインターナショナルな情報の共有は、各国の「相違」をより意識させることになったということである。感染者数がかなり生じているにもかかわらず規制を緩める国もあれば、僅かな感染症にもかかわらず、厳しい措置を採る国もある。着目すべきなのは、「いずれの国のコロナ禍の対応が最も成功したか」ではなく、政策判断の基礎にある価値観の相違の大きさであり、それが、その国の国民の規範意識、さらには歴史や文化の違いに基づくということなのである。もちろん、国の経済力、科学技術力、医療水準にも関連するが。

　その意味で、「日本の刑事法の特色」も、日本人の国民性に依拠していることは疑いない。明治期に、西欧をまねて導入した刑事法制度も、百年以上の流れを経て、日本の文化によって動かされてきた。もとより、刑事法制度も、社会の変化に合わせて不断に動いているものであり、常に生起する具体的事件によっても、変化し続けていく。変化の方向性を考究することは必要であるが、ただ、「ど

この国の刑事制度が正しいか」という議論は、「どの国のコロナ対策が最も正しいか」という議論と同じで、重要ではない。

本書は「刑事専門家に対する、個別問題の具体的解決案」を示すためのものではない。「全体」を俯瞰した上で、現実の問題を擬律していただくことが何より大事だと考え、「筋が分かりやすいこと」「短時間で読み切れるもの」「現在の動きを反映したもの」を重視して執筆した。

古い知識は、無駄であるというより、害悪になることに注意して欲しい。学ぶべき「法」も判例も、動いているのである。ここ20年来、学説・理論が急激に重視されなくなり、現実にいかなる問題が起こり、実務がいかに対処しているかを知ることの重要性が強調されるようになった。そのような、実務の対処は、「正しい学説」が先にあって、それに従った結果であるとは、必ずしもいえなくなった。

本書は、一通り刑事法を勉強し、さらには、実務でその運用に携わっておられる方にも「全体像」を俯瞰していただくためには有用だと考えているが、大学生や高校生等も含め、より多くの刑事法に関心のある皆様に読んでいただき、警察活動をはじめ、検察、裁判、弁護の活動の意味を知り、日々生起する刑事事件の処理についても、自分の頭で判断するために役に立てばと期待している。

本書の作成に当たっては、企画編集部の井出初音さんに大変なご尽力をいただいた。ここに、厚く御礼申し上げる次第である。

2022年5月

前田　雅英

は し が き

　本書は、警察官をはじめとする、日本の刑事司法実務に携わられる方々に、「現在の刑事法」の全体像を理解していただくためのものである。平成26年2月に『ハンドブック刑事法』（東京法令出版）を刊行したが、法改正や判例の変化を踏まえ、大きく書き改めた。全体の構成も変えたので書名を新しくした。ただ、ねらいや基本的な考え方は、変更していない。

　「専門家に対する講義案」という意味では、もっと詳しい情報を盛り込んだ方が良いが、「全体」を俯瞰した上で、現実の問題を擬律していただくことがなにより大事だと考え、「筋が分かりやすいこと」「短時間で読み切れるもの」「現在の動きを反映したもの」を重視して執筆した。

　個々の知識をいかに増やしても、全体の中でいかなる意味を持つのかを知らなければ、力にはなり得ない。その知識の「実」がどの「枝」になっていて、「根」といかに繋がっているかを知ることが大切である。別の言い方をすれば「流れ」を理解してほしいのである。

　古い知識は、無駄であるというより、害悪になることに注意してほしい。学ぶべき「法」も判例も、動いているのである。そして、ここ10年来、学説・理論が急激に重視されなくなり、現実にいかなる問題が起こり、実務がいかに対処しているかを知ることの重要性が強調されるようになった。そのような、実務の対処は、「正しい学説」が先にあって、それに従った結果であるとは、必ずしもいえなくなった。

　そもそも、現在の状況を踏まえなければ、法の解釈は不可能である。刑法・刑事訴訟法が改正されたということ以上に、法というものについての「考え方」が動いてきていることを知ってほしい。最

近では、裁判員裁判の定着もあり、刑事法の考え方の地盤はじわじわと動いている。その意味でも、判例の重要性が増している。

　本書は、一通り刑事法を勉強し、さらには、実務でその運用に携わっておられる方にも「全体像」を俯瞰していただくためには有用だと考えている。

　また、大学生や高校生等も含め、より多くの刑事法に関心のある皆様に読んでいただき、警察活動をはじめ、検察、裁判、弁護の活動の意味を知り、日々生起する刑事事件の処理についても、マスコミやそれに登場するいわゆる評論家の意見を鵜呑みにすることなく、自分の頭で判断して、評価できるようにしていただければと、密かに期待している。

　本書の刊行にあたっても、東京法令出版の編集部の皆さんに大変なご尽力をいただいた。ここに、厚く御礼申し上げる次第である。

　　2017年 9 月

　　　　　　　　　　　　　　　　　　　　前田　雅英

目　　次

Ⅰ　刑事法の特色

1　罪刑法定主義　価値判断と恣意的判断————1

2　疑わしきは被告人の利益に　「疑わしさ」の程度———2

Ⅱ　日本の刑事法の歴史

1　第二次世界大戦前の刑事法　西欧からの「守・離・破」———4

2　第二次世界大戦後の昭和の社会状況の変化と刑事法解釈———6

⑴　日本の治安の良さ　6

⑵　戦後の前半期はなぜ治安が良かったか？　7

⑶　日本の刑務所があふれ出した　9

⑷　治安悪化の原因　外国人犯罪と少年犯罪　9

⑸　ここ20年で犯罪認知件数は4分の1以下となった　11

3　刑事法理論の変化————————15

⑴　社会の変化が戦後の刑事法理論を変えた　15

⑵　社会の安定と被害者の重視の開始

　　児童虐待・ストーカー・ＤＶ　16

⑶　治安の改善と刑事法解釈の変化　17

⑷　比例原則　18

⑸　今後の展望　20

⑹　「理論」は実務が作る　21

Ⅲ 刑法理論

1 犯罪と刑罰の考え方 ————————————————23
- ⑴ 犯罪の定義　23
- ⑵ 刑罰と犯罪　23

2 刑罰の考え方 ————————————————25
- ⑴ 応報刑論と目的刑論　25
- ⑵ 応報刑と道義的責任論　26
- ⑶ 目的刑と社会的責任論　27
- ⑷ 現代日本の刑罰理論　27
- ⑸ 応報刑と目的刑の関係　28
- ⑹ 死刑について　29

3 第二次世界大戦後の犯罪状況と刑法理論 ————30
- ⑴ 団藤刑法　30
- ⑵ 行為無価値論と結果無価値論の対立の意味　31
- ⑶ 法と道徳と価値判断　32
- ⑷ 1980年代からの刑法解釈　実質的犯罪論　33

4 客観的構成要件の理解 ————————————35
- ⑴ 「構成要件に該当して、違法で、有責な行為」　35
- ⑵ 条文解釈の意味　36
- ⑶ 日本人の常識と解釈　37
- ⑷ 構成要件の基本構造　39
- ⑸ 実行行為の重要性　40
- ⑹ 不作為と実行行為　42
- ⑺ 未遂——実行行為の開始　44

⑻　着手時期についての具体的判断　45

⑼　不能犯　47

⑽　中止犯　48

⑾　因果関係論　49

5　故意と過失 ─────────────────────────── 53

⑴　故意とは何か　53

⑵　未必の故意　55

⑶　錯誤の意義　56

⑷　事実の錯誤と国民の常識　57

⑸　過失　60

6　正当化事由・責任阻却事由 ─────────────── 62

⑴　構成要件に該当するのに許される場合　62

⑵　正当行為・業務行為　63

⑶　日本の正当防衛の特徴　64

⑷　急迫不正の侵害に対する防衛行為　65

⑸　やむことを得ない行為　66

⑹　緊急避難　67

⑺　期待可能性　68

⑻　責任能力　69

7　共犯論 ──────────────────────────── 71

⑴　日本の共犯の実像　71

⑵　共犯と間接正犯　72

⑶　共同正犯　74

⑷　共謀共同正犯　75

⑸　共同正犯の因果性・共謀の射定　76

⑹　犯罪理論体系の意味と役割　78

8　刑法各論の重要論点────────80

⑴　どのような行為を犯罪とするかは、常に変化していく　80

⑵　交通事故関連犯罪の変化　80

⑶　性犯罪の法改正　81

⑷　社会の複雑化と財産犯の本質論　82

⑸　最近の詐欺罪処罰の拡大　85

⑹　サイバーと犯罪　89

Ⅳ　刑事訴訟法理論

1　刑事手続の現状────────91

⑴　犯罪の認知と送致　91

⑵　簡易送致と不起訴　92

⑶　捜査の端緒　93

⑷　送検と起訴　94

2　日本の刑事訴訟の考え方の基礎────────96

⑴　欧米法制の採用と日本の独自性　96

⑵　当事者主義と職権主義　98

⑶　捜査の構造論　100

⑷　捜査現場における実質的対立点　101

⑸　社会の変化と刑事訴訟法解釈の変化　102

⑹　最近の犯罪の減少と新しい捜査手法　104

3　捜査の適法性────────106

⑴　任意捜査と強制捜査　106

(2) 強制捜査（処分）の具体的基準　107

(3) プライバシー侵害と強制処分と立法　108

(4) 任意同行を求める説得行為の限界　110

(5) 比例原則　判例の流れ　111

(6) 職務質問と実力行使の可否　113

(7) 所持品検査　115

4　逮捕・勾留と捜索・差押え————————118

(1) 被疑者の逮捕・勾留　118

(2) 任意の聴取と逮捕の限界　119

(3) 逮捕者の取調べとその制限　122

(4) 捜索・差押え、検証　124

(5) デジタルデータの捜索・差押え　125

5　公判廷での審理————————————126

(1) 起訴状一本主義　126

(2) 裁判員制度　127

(3) 裁判の開始　129

(4) 証拠調べ　130

6　証拠法————————————————131

(1) 裁判における証明　131

(2) 証拠能力と厳格な証明　133

(3) 挙証責任と「疑わしきは被告人の利益に」　134

(4) 証拠の種類　136

(5) 供述証拠と伝聞法則の例外　137

(6) 違法収集証拠排除　139

(7) 自白の意義　142

目　次　**5**

⑻　自白法則　143

⑼　自白の証明力と補強証拠　145

事項索引　147

凡　例

■法令名略語

　法令名については、次のとおり略語を用いた。

医療観察法	心神喪失等の状態で重大な他害行為を行った者の医療及び観察等に関する法律
警職法	警察官職務執行法
刑訴法	刑事訴訟法
自動車運転処罰法	自動車の運転により人を死傷させる行為等の処罰に関する法律
精神保健福祉法	精神保健及び精神障害者福祉に関する法律
組織的犯罪処罰法	組織的な犯罪の処罰及び犯罪収益の規制等に関する法律
道交法	道路交通法
入国管理法	出入国管理及び難民認定法
不正アクセス禁止法	不正アクセス行為の禁止等に関する法律

■判例集等略語

刑録	大審院刑事判決録
刑集	大審院刑事判例集
	最高裁判所刑事判例集
裁判集刑事	最高裁判所裁判集刑事
裁時	裁判所時報
高刑集	高等裁判所刑事判例集
東高刑時報	東京高等裁判所刑事判決時報
判時	判例時報
判タ	判例タイムズ

I　刑事法の特色

1　罪刑法定主義　　価値判断と恣意的判断

　刑事法とは、犯罪（→23頁）と刑罰（→23頁）の内容やその適用・執行の仕方を定めた法である。その刑事法の中でも、とりわけ刑法学を特色づけるのは、罪刑法定主義であるといってよい。恣意的に刑罰が科されることは、絶対に許されない。刑事司法に携わる者は、そのことをしっかりと肝に銘じなければならない。「被疑者により、刑の重さや、刑事手続を塩梅する」ということは、最も唾棄すべきことである。そして、警察官の立場にあっても、「無実の自分が、処罰される側に回ってしまった可能性」を常にイメージしておくことが肝要である。

　しかし、法の適用には、「価値判断」が必須であることも否定しがたい事実なのである。条文から、誰もが自動的に正しい結論を導き得るというものではない。「どの程度のけがをさせれば傷害罪として立件するのか」「10円の菓子を万引きしても、窃盗罪で現行犯逮捕するのか」「公務員に『よろしく』といって100円渡しても賄賂罪となるのか」。回答は、難しいと考える人も多いであろう。法に触れる以上、全て処罰すべきであるとすると、「形式的で杓子定規で常識的でない」という国民の反発が返ってくる。しかし、例えば、「同じスピード違反をしたのに、なぜあいつは捕まらないのか」という不満を、かなりの国民が持ち得ることは、法を執行する側でも認識している。

　誰からも不満の出ない処理というものは、あり得ない。しかし、

国民の支持がなければ、刑事システムは成り立たない。一般人、すなわち大多数の国民が「そういう判断なら、納得し得る」と思う必要がある。日常処理している、例えば「被害届を受理するか否か」の判断も、実は、微妙な問題で、実質的にその要否を判断しなければならない。法的には、「全部受け付ける」ということに、形式上はなっているが、そのとおり実施したら、被疑者として指弾される者の不利益が不当に大きくなりすぎる。「被害届を受理したら、その後手続がどのように進行するか」を視野に入れて、被害の存否・大小を、その主張根拠とともに衡量されなければならない。

価値判断といっても、「俺はこう思う」というだけで、国民の納得が得られるはずはない。当事者間の利益が調整されればよいというものでもない。一般の国民の視点から、他の事案との均衡、他の犯罪類型とのバランス等を「国民全体にかかわる制度としての合理性」という観点から考察しなければならない。

これから学んでいく刑法の解釈も、「条文をしっかり守りさえすればよい」という姿勢では不十分なのである。

<u>2</u>　疑わしきは被告人の利益に
「疑わしさ」の程度

刑事の世界では、「手続をきちんと踏んだか」が、特に重視される。警察官たるもの、定められた準則に絶対に従わなければならないことは十分認識していると思う。そして、「疑わしきは被告人の利益に」という原則が強調されることが多い。その理由としては、「被疑者の人権を害するおそれのある執行である以上、処分すべきか否か迷う場合には、あえて思いとどまるべきである」という発想がある。それ自体には、異論の余地はない。

ただ、「疑わしきは被告人の利益に」を、「刑事手続は、100％の確証がなければ進められない」「令状を得て逮捕したところ、裁判

の段階で、真犯人が明らかになったような場合、違法な刑事手続である」とするような理解は、誤りである。

「無罪となるような起訴は、被告人の不利益を考えれば、可能な限り避けるべきだ」ということは正しいが、「無罪の可能性のある起訴、さらにそれに至るような立件は許されない」というのは誤りである。裁判が終わってみなければ真犯人は確定しないのであって、それ以前に、「嫌疑がある」ということを根拠に逮捕しなければならない場合は多い。「一定の嫌疑（疑わしさ）があれば逮捕できる」ということも、異論のないことなのである。

問題は、嫌疑の程度にある。通常の令状逮捕には、「被疑者が罪を犯したことを疑うに足りる相当な理由（→118頁）」、緊急逮捕には、「重大な罪を犯したことを疑うに足りる充分な理由（→119頁）」が必要である。そして、**逮捕の必要性**（逃亡又は罪証隠滅のおそれ）があるか等を、被疑者の年齢・境遇、犯罪の軽重・態様その他諸般の事情を総合的に考慮して判断する。ここでも、実質的な判断が要請されている。

そして、このような実質的判断は、条文に示された「枠」の中で、現在の日本人の常識に依拠して決定される。どのように処罰するかも、結局、国民が決める。「いや法律で決まっているはずだ」、「裁判官が決めている」という反論が予想されるが、やはり究極には国民がいなければならない。刑事法学の最も重要な課題は、その国民の声を聴くことのできる力を身に付けることにある。

Ⅰ　刑事法の特色　**3**

Ⅱ 日本の刑事法の歴史

1 第二次世界大戦前の刑事法
西欧からの「守・離・破」

　現在にいたる明治以降の日本の法律学は、西欧列強の植民地展開に抗する対応の一部として、西欧の法律制度を導入する形で出発する。それまでの刑罰法規としては、幕府領には御定書百箇条が、大名の領地には各藩法が適用されていた。大政奉還直後もその体制は基本的には維持され、それに若干の手直しを加えて対応していたが、西欧先進諸国との不平等条約撤廃のため西欧法制度の導入の機運が高まり、西欧型の刑法理論が導入されたのである。

　明治7年11月にはフランスからボアソナードという法学者を招聘し、彼を中心にフランス型の刑法の編纂が開始され、明治13年「旧刑法」として公布された（明治15年施行）。しかし、旧刑法施行後まもなく、当時の政府は共和制国家であるフランスより立憲君主制を採用していたドイツの方が我が国のモデルにふさわしいと考え、明治41年、刑法を改正した。実はこれが、現在でも妥当している刑法典なのである。その結果、「本家」であるドイツの刑法理論は日本の刑法学に、多大な影響を与えることになった。刑事訴訟法もほぼ同じような経緯をたどるのであるが、第二次世界大戦後に、アメリカの強い影響の下、法改正がなされたのである。

　日本の刑事法学は、欧米の法律学を模範として発展してきたといってよい。法律そのものが「輸入品」である以上、それに関する学問も「本場」を意識せざるを得なかった。しかし、例えば刑事法の場合も、法律制度が対処すべき問題は日本で生起するものであり、犯

罪者も日本人であり、そもそも、「何が正義で、何が悪であるか」、さらにはその背景にある文化は、日本と輸入元の国家とでは、微妙に、そして問題によってはかなり異なる（日本刑法学に最も大きな影響を与えてきたドイツは、物事の考え方が、日本に比して厳格・厳密であるように思われる）。

　そこで明治以来の、判例を含めた日本の刑法学の問題処理の蓄積は、次第に「日本独自のもの」を形成していくことになったのである。条文という「衣」は西欧由来でも、その中味は、法を適用される、そして法を適用する「日本人の声」の結晶なのである。ただ、学説の一部は、法の「輸入元の国々の法理論」を、判例の上に置こうとする傾向が強かった。

　その象徴が、電気窃盗事件判決（大判明36・5・21刑録9・874）の取扱いであった。

　窃盗は、財物を窃取する行為をいう。そして、財物とは有体物をいう（民法85条）とされている。有体物とは、固体、液体、気体である。電気は、固体、液体はもちろん、気体でもない。しかし本件大審院は、有体物でない電気を勝手に使った行為について窃盗罪の成立を認めた。ところがほぼ同じ時期、ドイツの判例は、電気は物でないとして窃盗罪の成立を否定したのであった。それに対し日本の裁判所（大審院）は、「物とは、有体物ではなく管理可能なものをいう」としたのである。この解釈に関しては、「日本の裁判官は、罪刑法定主義が理解できていない」とする厳しい批判が非常に多かった。しかし、日本の判例の結論が妥当でないという根拠はどこにあるのであろうか。そして、ドイツのように「民法と同じ『物』の定義を採用する」という罪刑法定主義理解が、唯一正しいものなのであろうか。

　電気窃盗と同様に、日本とドイツで、判例の結論が全く逆になる場合がよくみられる（→38頁）。その場合には、常にドイツでは

Ⅱ　日本の刑事法の歴史　　*5*

「構成要件に該当しない」とされ、立法により具体的に妥当な結論が求められるのに対し、日本では判例の段階で、可能な限り具体的妥当性を考慮して、柔軟な解釈を行うといってよい。このような傾向は、日本判例の発展させた共謀共同正犯論等にも、明確に現れている（→75頁）。

　判例の結論を無批判にそのまま肯定するのは危険だが、しかしドイツの学説をあたかも「法源」のように扱うのは、もっと不合理である。

<u>2</u>　第二次大戦後の昭和の社会状況の変化と刑事法解釈

⑴　日本の治安の良さ

　現在の犯罪認知状況は、**図1**に示したとおり、第二次世界大戦後の最善の数値となっている。そして、日本人が最も誇りに思っているのは「日本の治安の良さ」なのである（平成25年以降の内閣府世論調査）。しかし、その前は、国民の誇りの1位は「美しい自然」であり、2位は「優れた文化・芸術」、次いで「長い歴史と伝統」で、治安の良さはその次だった時期が存在した。たしかに、現在戦後最低の犯罪発生率を記録しているが、実は、わずか20年前は、戦後最悪の犯罪発生状況で、日本の治安状況は「メルトダウン」しかけていたのである。

　そして、2002年の犯罪多発の時期を迎える前にも、刑法犯の発生件数は激しい増減を経験した。戦後日本社会では、前半30年間は犯罪が減り続け、1975年を境に、後半の30年は増え続け、近時の15年で急減したのである。戦後の混乱期から急速に犯罪現象が好転した一方で、バブル崩壊後の犯罪の増勢も異常なものであった。その結果、国民が治安に対して不安を感じて、内閣が犯罪対策閣僚会議を

図1 戦後刑法犯罪発生率・凶悪犯認知件数推移

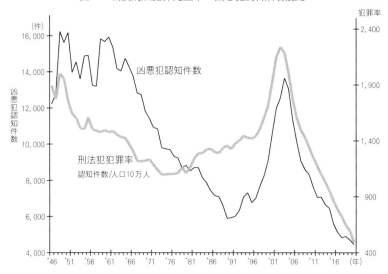

設置することになったのである。この、国を挙げての治安対策により、治安状況は急速に好転した。この変化は、単に刑事司法の活動、その基礎となる警察、検察の政策の成功のみによって説明できるものではない。後述のように、経済状況（とりわけ失業率の変化など）、社会状況（少年に対する社会の考え方、離婚率の変化など）の影響も大きい。しかし、まず、治安の危機的状況を脱することができたことは、確認しておく必要がある。

(2) 戦後の前半期はなぜ治安が良かったか？

1975年までは、犯罪、特に成人犯罪は減り続けてきた。これが日本の「安全神話」の根源である。「一昨年より去年は犯罪が少ない」「去年より今年はもっと減った」。これが、国民の感じた「治安の良さ」の最大の根拠であった。「アメリカの10分の1」というような数値より、実感できるものであった。その意味で、「治安が良い」と最も強く感じられていたのは70年代であった。

当時の欧米諸国は、まさに犯罪の増加に苦しんでいた。少なくとも70年代までは、欧米諸国はほぼ例外なく、一貫して犯罪（日本の刑法犯にほぼ対応する）の増加がみられたのである（なお、アメリカの統計は、集められた数値の中に詐欺や毀棄などの類型が含まれておらず、他の国に比較して相対的に少なくみえることに注意しなければならない。）。そして、犯罪の増加の傾向は全く衰えをみせていなかった。その結果、アメリカなどでは、「犯罪との戦争」を宣言し、大統領の下にタスクフォースが設けられたのである。当時の犯罪発生率は、日本の6倍から10倍に達し、しかもその差は広がる一方であった。このような状況は、日本でも認識されるようになり、「世界一治安の良い国日本」という意識が形成されていったのである。

　昭和54年度犯罪白書は、我が国の主要犯罪の発生件数及び検挙人員を、西ドイツ、フランス、イギリス及びアメリカの欧米主要4か国と比較し、殺人、強盗、傷害、窃盗及び強姦について、我が国の犯罪が圧倒的に少ない事実を指摘し、その原因を分析した（18頁以下）。

①　「島国」として、民族・言語・文化の完全な統一性をもつ社会的・文化的同質性。

②　家族・コミュニティ・企業などの強い連帯性と団結性。

③　古い文化的伝統から生まれた日本固有の倫理（「恥」「名誉」「思いやり」）。

④　②、③から生ずる非公式な社会統制の強い力。

⑤　固定した社会階層が存在せず、地位・収入などの上昇の機会を平等に保障されていたこと。

⑥　刑事司法システムのレベルの高さ。

⑦　銃器に対する規制の有効性。

　犯罪白書は、日本の治安の良さを、上記のような我が国の社会的、文化的特質に求めていた。我が国独自の伝統的な社会的、文化的特

質が崩れない限り、日本の治安は大丈夫だとしていたのである。ところが、戦後の後半期、まさにこれらが崩れ去り、治安が悪化していった。

⑶　日本の刑務所があふれ出した

　平成12～14年頃、学者・弁護士の一部は「治安は悪くない」というキャンペーンを張り、刑事法の改正や治安対策に反対した。しかし、昭和の終わりから平成14年にかけて、日本の犯罪状況が悪化しているということは、否定のしようのない事実であった。その象徴が、「刑務所があふれてしまった」という現実である。その結果、刑務所の民営化にもつながっていったのである。

　新受刑者数は、当然であるが、裁判所の実刑言渡数によって決まってくる。有罪（罰金刑を除く）の人数ではなく、実刑の数なのである。執行猶予の場合は刑務所には入らないからである。刑務所を所管する法務省の収容者数の増減に関する統計数値と、裁判所が公表している実刑言渡の数は、ほぼ完全に一致している。

　刑務所の現場では、まさに平成に入ってからの収容者の増加が、容易に対応し得ないほど著しいものであり、あれよあれよという間に、刑務所があふれてしまったのである。

⑷　治安悪化の原因　外国人犯罪と少年犯罪

　昭和60年代からの犯罪率の上昇には、少年犯罪と外国人犯罪が大きく影響した。ただ少年が、逆送されて刑務所に収容される割合は非常に低い（令和4年4月から少年法が一部改正され、18、9歳は特定少年と呼ばれて取り扱いが若干変わるが、逆送数は、大きくは変わらないと思われる）。一時期の「刑務所の氾濫状態」は、成人犯罪によって引き起こされた。そしてその中で、外国人犯罪の急増が重要な意味をもっていた。

Ⅱ　日本の刑事法の歴史　*9*

外国人犯罪の増加により、通常第一審裁判所の被告人 8 万2,868人中、なんと9,594人が外国人で占められてしまった（平成13年）。11.6％は外国人被告人だったのである。ただ、地域差が激しい。現在でも、北海道や九州では外国人被告人は少ない。ところが東京地裁では、 4 人に 1 人以上が外国人被告人なのである。そして、警視庁管内の留置施設は、実質的に「過剰収容」となった時期があった。

　また、注目すべきは三重や愛知を中心とする東海地方である。大阪より外国人被告人が目立つこの地域では、ブラジル人の被告人が目立つ。平成に入ってからの外国人犯罪の増加の中核には、日系ブラジル、ペルー人の存在が大きかった。入国管理法を改正して、単純労働者を日系人に限って受け入れたためである。そして、自動車産業や電器産業が派遣労働者として多くの外国人を受け入れた地域の治安が悪化した。

　そして特筆すべきなのは、当時の外国人による凶悪犯の過半が不法残留者によるものであるという点である。治安対策として不法残留者を重視するのは当然であった。

　平成への移行期に、検挙率と起訴率が急激に減少する。検挙率の低下は、明らかに警察庁の政策転換の影響であった。警察庁次長通達として、「職務質問の適正化」の指示が出された。犯罪検挙に大きな影響をもつ地域警察に対し、軽微な事案の検挙より、より重要な犯罪の摘発に力を入れるように指示したものといってよい。昭和50年代から増勢に転じていた犯罪状況に対応するため、限られた数の警察官を、重大な犯罪の捜査などに重点的に利用しようとするねらいは、ある意味で自然なものであった。事件は増え、週休 2 日制が導入され、しかも増員がほとんどない中で、合理的な選択だったといえよう。

　だから、一次的に自転車窃盗などの検挙率が落ちても、さほど危機意識はなかった。ちょうど同じ時期に検察も、起訴率を下げた。数少ない貴重な検事・副検事・検察事務官を、交通事故に起因する刑事事件より、重要な案件に投入すべきだと考えたのである。

　ただ、このような政策転換により、検挙率の低下が始まったことは

間違いない。起訴率も下がり、犯罪を犯した者に刑罰が科される割合が減少した。そして、その結果として、盗犯等を中心に、10年余りの間の認知件数の増加をもたらし、少し間を置いて、凶悪犯まで増加することになったのである。

(5) ここ20年で犯罪認知件数は 4 分の 1 以下となった

　刑法犯の認知件数は、平成14年に285万3,769件に達したが、令和 2 年には62万件を切るまでに激減したのである。それに伴って 2 割を切っていた検挙率が 4 割を超えた。

　しかも、平成14年から15年の犯罪の減少の割合は、全国でほぼ同じなのである。図 2 は、各都道府県の平成14年（2002年）と平成27年（2015年）の犯罪率の関係をみたものであるが、どの県も、ほぼ 3 分の 1 になった。0.92という相関係数は、県ごとのばらつきの少なさを示している。

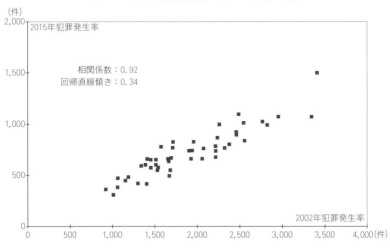

図 2 　47都道府県犯罪発生率の14年間の変化

政府は犯罪対策閣僚会議を組織し、平成15年12月に「犯罪に強い社会の実現のための行動計画」を公表する。そこで、①身近な犯罪の抑止、②少年犯罪の抑止、③国境を越える脅威に対する対処、④組織犯罪対策、⑤治安回復のための基盤整備、の５つの重要課題が設定されたのである。そして、それらの政策は、緩急の差はあるものの、具体的に実施され、その一環として、平成17年１月１日から改正刑法が施行された。

図３　検挙者中の少年の割合

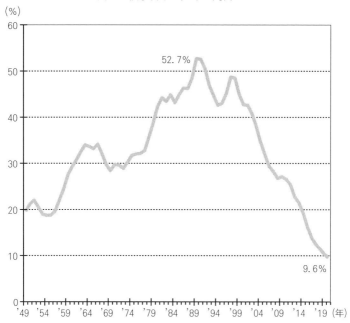

　このような、国を挙げての取組の中で、犯罪認知件数の大きな変化が生じた。少年犯罪対策も、犯罪の増加を止めることに大きく寄与したといえよう。平成の初期は、過半数の刑法犯が少年によって犯されていた。ところが、平成16年（2004年）には34.7％になり、令和２年（2020年）には9.6％と、４分の１にまで減少したのである。人口10万人当たりの検挙人員も平成３年の1,748人から、令和

２年には264人となった。犯罪減少の主役は、少年だったといってもよい。

　一方、この間の外国人犯罪対策としては、「入管職員の増員、警察との連携の強化により、不法残留者を半減する」ということが中心であった。そして、それはほぼ達成されたのである。

　犯罪発生率の低下は、様々な対策の総合した結果であり、例えば刑法改正による法定刑の引き上げ（厳罰化）や警察活動のみでは達成できない。国民の意識の変化が最も重要であったといえよう。

　このような犯罪の減少が徐々に国民の意識に浸透し、国民の治安に対する不安感の増大が止まり、安心感が増え始めたのである。内閣府の調査によれば、治安が悪くなったと思う国民の割合が、2004年から減少しはじめた。そして、２年ほど遅れて、一審刑事裁判の言渡刑の平均値が下降しはじめたのである（図４、５参照）。ただ、国民の不安感は、犯罪発生件数のみに左右されるものではない。例えばオウム真理教の一連の事件が連日のように報道された時期は、不安感が高まった。ごく最近であれば、「特殊詐欺」の発生件数が、捜査機関の必死の取組にもかかわらずむしろ増加していることが、「治安悪化」と思う国民を若干増加させた。秋葉原通り魔事件による多数人の殺害なども、不安感を高めたように思われる。

Ⅱ　日本の刑事法の歴史　　*13*

図4　治安が悪い方向に向かっていると国民が思う割合（内閣府）

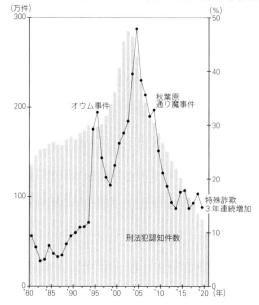

図5　有期実刑平均値の変化

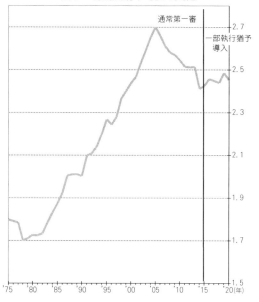

3 　刑事法理論の変化

⑴ 　社会の変化が戦後の刑事法理論を変えた

　このように社会の変化が、法律の考え方、刑事法解釈にも当然影響した。

　戦後の前半の刑法学会をリードしたのは、小野清一郎博士と団藤重光博士であった。この時代は、犯罪の発生件数が、戦後の混乱期から比較して半減した時期であった。そして、学会にとりわけ影響力の強かったとされる団藤重光博士の『刑法綱要』という教科書（昭和32年）の冒頭には、「刑罰権といった国家権力の発動がでたらめなものにならないようにするためには、あらゆる恣意を封じなければならない。罪刑法定主義はその立法的あらわれであるが、微動もしない正確な理論構成への要請も、これとうらはらをなすものだといってよい」という趣旨の記述がある。裁判官や検察官の恣意が入らないような、きちっとした犯罪論体系を示すということが、昭和30年代以降の刑法理論の基本的な考え方だったといってよい。そして、「刑法謙抑主義」が強調された。

　その刑事訴訟法の表現が、「疑わしきは被告人の利益に」の原則である。そして、刑事訴訟法の人権重視という基本的価値を表すものとして「当事者主義」が高く評価され、それと対置される「職権主義」はマイナスシンボルとされたのである。

　その間の刑事司法の目標というのは、あくまでも「法」の枠内での犯罪検挙の完遂にあった。真犯人を取り逃がすことより、捜査や処罰の行き過ぎが「悪」と考えられた。この主張の源には、戦前の刑事法の不当な運用に対する反省があったことはいうまでもない。さらに、戦後、個人主義的な価値観が優勢となり、完全に均質で平

Ⅱ　日本の刑事法の歴史　**15**

等な個人を前提にした、個人主義的な刑法理論が支持された。具体的事案の妥当な結果より、法的安定性が重視された。何よりも処罰範囲が拡大することを懸念するという意識が強かったのである。この事案は処罰してもよさそうだが、一つ拡げると、広い波及効果が生じてしまうという危惧感が強かったのである。

⑵　社会の安定と被害者の重視の開始
　　児童虐待・ストーカー・ＤＶ

　その結果、「警察の民事不介入」、「法は家庭に入らず」という考え方が善とされ、警察大学校などでも教えられていったのである。刑事訴訟法学者の議論は、基本的に、捜査機関の権限は「縛るほどよい」というものであり、それは今でも続いているといってよいであろう。検察と対立し、被疑者・被告人を護る側に立つ弁護士の考えはそうなる。理論全体が弁護士型だったのである。

　しかし、1980年代から犯罪の考え方が変わりはじめた。その原因は、やはり、戦後の日本社会が大きくカーブを切ったことであろう。それまでの刑法学者の議論の主流は、前述の「刑罰謙抑主義の重視」であり、誇張していえば、「処罰範囲が狭いほどよい」「刑は軽いほどよい」というものであった。学者の仕事は、「処罰を広げ過ぎる判例」を批判することにあるということが、暗黙のうちに前提とされていた。しかし、「被害者のことを考えなくてもよいのか」、「処罰範囲を広げる必要がある場合もあるのではないか」という方向の議論が、80年代以降みられるようになっていく。

　法制度のレベルでは、まず児童虐待に対して「児童を護ってほしい」という方向の議論が起こり、法改正が動きはじめる。ほぼ同時に、ストーカー対策の法律ができるようになった。さらに配偶者からの暴力の防止及び被害者の保護等に関する法律（ＤＶ法）ができる。そして現在でも、ストーカー対策などはもっと前に出るべきだ

16

というような議論の方向で動いている。その意味で少なくとも、国民の警察への期待は高まっている。

たしかに、刑法を狭く適用しておきさえすればいいという議論は、国民に対する説得力を失った。例えば、賄賂罪などでも、学説には職務権限を狭く解するほどよいというような傾向があった。ロッキード事件等も、処罰範囲が明確でなければならないという学説からは無罪になる。ところが有罪になって、それを批判する議論も出ないまま定着していった。その処罰の範囲というものは、結局は国民の規範意識、国民の常識によって規定されるのである。

(3) 治安の改善と刑事法解釈の変化

しかし、刑事司法システムの介入の限界は難しい。一方で、ストーカー対策を積極的に行うべきだということが求められ、他方で、ＧＰＳ捜査の禁止判例（→105頁）のように「被疑者・対象者のプライバシーの重視」が求められる。トラブル・事件のどこからを「捜査」の世界で扱うか、将来発生するかもしれない重大犯罪について、「可能性」を手掛かりにどこまで介入することが必要かという点が問題となる。

平成15年以降犯罪情勢が一挙に好転した中で、刑事法解釈にも大きな、それまでとは逆方向の変化が生じてきている。刑法でも、処罰範囲を限定する方向に、微妙に変化してきているが、特に刑事訴訟法では、検察の起訴率が急激に低下し、裁判所の勾留請求却下率が大きく変化した。凶悪犯罪は、9割起訴されてきたが、現在は5割を切っている。一方、供述が得られない場合、罪証隠滅のおそれ、逃亡のおそれがあるということで、原則として勾留（→119頁）が認められてきた。ところが地裁の勾留請求却下率は、平成17年（2005年）あたりから急上昇した（図7参照）。保釈も同じような動きが出てきている。その背後には、犯罪が減り続けた後、社会が安

Ⅱ　日本の刑事法の歴史　*17*

定すると、「20日間の身柄拘束という被疑者の不利益を正当化しうる事情が必要である」と、裁判官が考えるようになってきたという事情がある。逆に、治安回復・真相究明のためには、被疑者に負担を強いてもやむを得ないという意識が弱まってきたのである。このような変化は、とりわけ、捜査手法を厳しく限定するという形で顕れてくる。その具体例が、平成29年3月15日の「ＧＰＳ捜査」を違法とした最高裁大法廷判決であるように思われる（→105頁）。

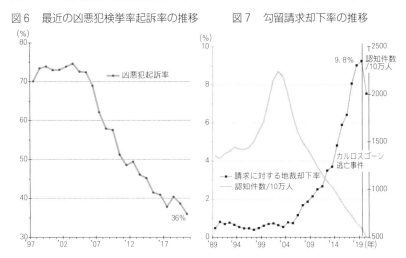

図6　最近の凶悪犯検挙率起訴率の推移　　図7　勾留請求却下率の推移

(4) 比例原則

　どの程度の刑罰を科すのかは、被害の程度と犯罪の態様、動機の悪辣性、前科の有無、反省の程度等を総合衡量して決定される。さらにその行為が正当化されるかも、行為の目的や正当性に加え、行為を行う必要性や緊急性を加味して、相当か否かで判断する。このような比例原則は、刑事訴訟法においても、解釈の基本原則である（→111頁）。捜査はどこまで許されるかは、問題となっている犯罪が重大なもので嫌疑が濃ければ、嫌疑が薄い軽微な犯罪の場合より厳しい調べを実施し得る。その際には、必要性、相当性も慎重に衡

量される。比較衡量の実質的内容は、行政法も刑法も、基本的には、同じといえよう。

　ただ、「国民生活への介入」の局面が多様化し、複雑化して、いろいろなツールが用いられるようになってきた。介入対象が複雑化し、手法も多様化するのである。それから、治安を護る主体の多様化も意識しておかねばならない。他の行政機関との任務分担も問題になってくる。社会現象の中で、「国家の存立」「戦争」に結びつくようなことは、欧米諸国でも相当にハードな介入がなされている。それに対して一番「軽い」といえる生活相談等については、ソフトな対応が必要である。その中間で、犯罪に対しての介入は、予防も含めて、一定の厳しさが許される。問題はその具体的限界である。ストーカーに被害者が殺害されるまで、司法警察は手出しができないというだけでは、国民の納得を得ることは難しい。しかし、踏み込み過ぎれば、国民は人権侵害として厳しく批判する。

　テロに対しては厳しい対応が許されるという認識が徐々に定着しつつある。組織集団の犯罪準備行為を処罰することを可能とする組織的犯罪処罰法が改正されたのも、そのことの顕れといってよい。戦後前半の日本社会では、テロ・公安問題は正面から議論することを避けてきた。犯罪より重いものだということで特別扱いする公安警察とか警備警察的な手法は、西欧諸国では当然の前提となっているのであるが、我が国では表に出さない形で取り扱ってきた。ただ、重要な国民の命、生存の基盤に関わるようなものに関してはそれなりの対応が必要なのである。その際には、予防・情報収集は必須である。そして、刑法犯に関しても、発生を防止できるのであれば、その方がよいことは疑いない。ただ、情報を収集することを可能とする「事情」の定式化が必要であり、それについての国民の納得が必要である。国民の信頼が得られなければ、国民の生命・財産を護るための捜査などの活動は、機能しない。

Ⅱ　日本の刑事法の歴史　**19**

⑸　今後の展望

　今、統計的には非常に安定的な犯罪発生状況にある。しかし、このような状況が崩れていく予兆はないわけではない。ヨーロッパの最近の難民問題を見るまでもなく、外国人犯罪、より大きくいえば民族問題である。ただヨーロッパの治安状況に外国人犯罪が社会に「影」を落としはじめたのは、30年以上前からである。日本でも、平成に入って日系ブラジル・ペルー人に限ってではあるが、単純労働者としての外国人を受け入れた以降、犯罪地図が大きく変容し、留置施設に外国人が急増した。その後の政策によって一応沈静化したが、ヨーロッパのような難民受入をしないまでも、外国人労働者を安直に増やしすぎると、治安に大きな穴が空く。イギリスなどのように、今になって移民政策を転換しても、遅い面がある。

　もう一つの危険は、科学技術の進歩に伴い、日本がＩＴ社会化した中で、「新しい危険」が生じるおそれである。国家が主体として実行している可能性もあるサイバー攻撃から、国民を護っていかなければならない。日常生活のＩＴ化で思わぬ重大な公共の危険の発生も考えられる。年金機構へのサイバー攻撃に対して警視庁の公安部が重要な役割を果たしたが、生安部のサイバー担当の警察官の増員、警察官へのサイバー関連の教養の強化は必須である。

　ただこの問題は、マイナス面ばかりでなく、サイバーを用いた捜査による犯罪対策という積極的側面があることを見落としてはならない。サイバー、ネット上の情報収集は、防犯カメラ画像以上に、有用性が出てくる可能性がある。一方で、プライバシー侵害に留意しなければならないが（最大判平29・3・15→105頁）、この領域こそが、「旧来型の司法警察」の殻を破る必要のある領域なのである。そして、「国民の納得を得た上での犯罪予防・抑止、犯罪情報収集」にとって最も重要なのが、この領域なのである。

そのような中で、警察庁にサイバー警察局が新設された。新しいサイバー社会に対応するだけでなく、サイバーに関する技術力の発展の拠点となることも期待されているのである。

⑹　「理論」は実務が作る

　この具体的問題の解決として、どの結論（価値）が正しいかを論じるのが解釈論である。一見すると、「俺は結果無価値論を採用するから、この問題は無罪だ」「当事者主義が正しいから、このような捜査は違法である」というような立論は、法解釈のようにみえる。しかし、実はほとんど意味のない議論なのである。法解釈にとって重要なのは、「現代の日本の現実の状況の中に置かれている具体的問題についての結論は、実は一定の幅の中に収まっている」ということであり、その集積の中から、「大きな価値」の動きがみえてくるということなのである。

　現実に刑事司法で争われるのは、「処罰するか否か微妙な事案」である。その意味で、「灰色」の問題を扱う。それを全て無罪としてしまったら、何のために解釈論が存在するか分からなくなる。灰色の中で、どこまでを黒とし、どこまでを白とするかを確定することが法解釈なのである。

　倫理を問題にするとされてきた行為無価値論者が価値の問題に正面から応えてきたかというと、そうでもないのである。行為無価値論者も、理論としては、価値相対主義（→33頁）を身にまとっていた。「現代の日本社会で処罰してまで妥当させるべき倫理」の具体的内容については、誰もあまり語っていない。

　しかし、法解釈を行う裁判官、裁判員、検察官、警察官は、まさにこの価値について日々決断しなければならない。法理論の側もそれに対応して、いかなる利益を刑法を用いてまで保護するかを考えなければならない。逆に言えば、そのような要請に対しては、「価

値判断は個々人の問題であり、法律は介入すべきではない」という答えは認められないのである。というか、そのような答え自体が、一つの価値を選択して答えたことになるのである。

　そして、「この罪の保護法益は○○だから、犯罪は成立しない」という議論も、法益を決める段階で、特定の価値を選択している場合が多いことに注意する必要がある。

　憲法も含めた価値、規範、常識の問題は、実は目まぐるしく動いている。政治的な磁場も昭和40年代頃と現在では、かなり様相が異なってきた。いかに自由主義といっても、「タバコより害の少ない大麻を使用することも悪いこととはいえない」というような議論はほとんど考えられない。しかし、1960年代、70年代は全く異なった意見の分布状況であったと思われる。

　21世紀に入り、我が国の治安状況は新たな局面を迎えている。その変化のスピードは速まるかもしれない。法理論は、それに合わせて動いていく。動いていかねばならないのである。

Ⅲ 刑法理論

1 犯罪と刑罰の考え方

⑴ 犯罪の定義

　犯罪があると思料したら捜査は始まる。ただ、裁判では有罪とされるであろう行為も、嫌疑不十分により不起訴や起訴猶予になったりする。裁判の場で黒白が争われるのは、一部に過ぎない。ただ、警察や検察等の刑事司法機関が行為を犯罪として扱う基準は、結局「法律に刑罰を科すると定めた行為に該当する」という裁判所の判断に結びつかざるを得ない。もとより、刑事手続全体、そして「なぜ犯罪は発生するのか」「どうしたら犯罪を防げるのか」といった議論をも常に視野に入れておかなければ、現在の犯罪状況を正しく理解することはできない。

⑵ 刑罰と犯罪

　それでは、法律はいかなる行為を犯罪と定め刑を科すのであろうか。その答えの手掛かりになるのは、やはり「刑罰」である。日本の刑罰とは、刑法典の9条に定められた死刑、無期懲役、有期懲役、無期禁錮、有期禁錮、罰金、拘留、科料並びに附加刑としての没収の9種類である（なお、政府は令和4年3月、懲役と禁錮を**拘禁刑**として一本化する刑法改正を決定している）。すなわち、生命（死刑）や自由（懲役・禁錮・拘留）や金銭（罰金・科料）を奪い取るのである。刑罰とは、本質的に人の忌み嫌うものであり、重大な人

Ⅲ　刑法理論　　*23*

権侵害であることはいうまでもない。その害悪以上の利益が国民全体に得られるから刑は科される。このように、刑罰を加えてまで禁圧しなければならない存在が犯罪の核心部分なのである。そして、いかなる行為にまで刑を科すべきかを決めるのは、もちろん国民である。刑罰権の行使の範囲も、最後は国民の常識で決まるのである。何か特殊な、そして高邁な理論を用いて学者が決めるものではない。

> 六法全書に載っている「刑法典」に規定されている犯罪を、刑法犯と呼ぶ。しかし刑法典以外にも刑罰が適用される行為は定められており、刑法典以外の刑罰法規を特別刑法と呼ぶ。警察の統計では、主として刑事局が扱う刑法犯と生安局が所管する特別刑法犯に分けて取り扱われる。前者は、認知件数と検挙件数を区別して統計処理されるが、後者は、送致件数のみが公表される。刑事犯的色彩の濃い、暴力行為等処罰に関する法律、爆発物取締罰則、人の健康に係る公害犯罪の処罰に関する法律等は、刑法犯として扱われている。

日本の刑法には長い歴史があるが、明治初期に大きく変わる。西欧の影響を受けた法律が作られたのである（→4頁）。刑法の理論も、それとほぼ同時に輸入され、「正しいもの」として、法曹という法律の専門家に教育されてきた。法曹は、最も高度で難解な専門知識を持つ集団として、高い地位を得てきた。しかし、平成21年から裁判員制度が始まった。それまでは、プロの裁判官だけが、これらの理論を参考にしつつ、刑法や刑事訴訟法を解釈し「何が犯罪か」を決めてきた。しかし現在は、国民の代表が、その作業に加わる。もともと、裁判所は、欧米から輸入された「理論」をそのまま適用してきたわけではない。我が国の「常識」が加味され、修正されてきた。裁判員裁判時代には、より一層、現在の国民の意識に適合した刑法学・刑事訴訟法学が形成されていくことになる。まさに、「理論は国民がつくる」のである。

2　刑罰の考え方

⑴　応報刑論と目的刑論

　刑法の考え方の最も土台には、「何故、害悪である刑罰を国民に科すことができるのか」という刑罰論の対立がある。

　一方は、**応報刑論**と呼ばれる考え方で、犯罪防止効果がなくても「正義」のためには刑罰を科さねばならないとする。悪いことをしたから、それに応じた罰を受けるのであり、「目には目を、歯には歯を」という言葉（同害報復）で説明されることもある。「応報」「同害報復」というと、過度に厳罰を想定しやすいが、同害報復の範囲内でのみ刑罰を科すため、次に述べる目的刑の考え方より、「刑罰が軽くなる」場合があることに注意しなければならない。あくまでも犯した「悪」以上の「罰」はない。

　これに対し、「犯罪が起こらないように見せしめにする」とか「二度としないように痛い目にあわせる」という目的のために刑罰を科すとする考え方を**目的刑論**と呼ぶ。応報刑論が「犯罪が起こったから刑を科す」のに対し、「犯罪が起こらないように刑を科す」ともいえる。目的刑論のうち、刑罰の持つ広い意味での威嚇力により、一般人が犯罪に陥ることを防止しようとする考えを**一般予防論**と呼ぶ。

　「見せしめのための公開処刑」は一般予防の典型であろう。これに対して、特別の人、すなわち犯罪を犯した犯罪者自身が犯罪を再び犯すことがないように刑罰を科すという考え方が**特別予防論**である。刑務所の中で、犯罪を犯した者を改善し、教育すると考える。

　一般予防の観点からは、「重い刑罰ほど効果が大きい」と考えられやすく、また特別予防論でも「改善されるまで教育する」とする

危険性がないわけではないことに留意しなければならない。「目的
刑の方が、合理的な考え方で、科学的でもあり進んでいて、応報刑
より優れている」と、簡単には言い切れない。日本では、応報刑論
が有力であったが、目的刑の考え方も加味して考えられてきたといっ
てよい。

(2) 応報刑と道義的責任論

　日本が明治時代に輸入したドイツを中心とした近代ヨーロッパの
考え方は、まず「個人」とりわけ理性に従って行動する合理的な個
人を念頭に置いた応報刑論が主流であった。それを「旧派」と呼ん
できた。カントに代表されるこの考え方の基本には、ヘーゲルの
「犯罪は法の否定であり、刑罰は否定の否定である」というような
説明に発展していく。理性に基づいて、自ら犯罪行為を選択したか
ら、非難することができるのであり、刑罰を科すことができるとい
う道義的責任論と結びつく。

　ところが、19世紀ヨーロッパ社会は、産業革命等の影響で大きく
変容していく。農業中心の社会に工業が重要な位置を占めるように
なり、人が都市に流入し、アルコール中毒者が増え、常習犯が増え
る。新しい犯罪類型も登場してくる。「生きていかねばならないか
ら盗む。」そういう社会で、「犯罪は法の否定であり、刑罰は否定の
否定なのだ」という説明が説得力を失っていった。さらに、応報、
同害報復だと、食べるために軽微なものを盗んだのなら刑は軽い。
そこで刑務所に入ってもすぐ出てきて、また窃盗を繰り返す。そこ
で、「刑罰に効果はないのではないか」という疑問が生じてくる。

　さらに、重要なのは、同じ人が何回も犯罪を繰り返すのを見てい
ると、「犯罪に原因があるからではないか」と考えるようになって
いった点である。旧派の発想では「犯罪には原因はない」というこ
とが前提となっていた。理性に基づいて犯罪行為を選択しているの

であって、なにか原因があるから犯罪を犯すのではないと考えたのである。

⑶ 目的刑と社会的責任論

「犯罪に原因がある」という犯罪の考え方（**新派**）は、さらに2つの流れに大別される。1つは、犯罪の原因を犯罪者自身の個人的・生物学的な要因に求める。例えば、イタリア学派を代表する**ロンブローゾ**という精神病医学者は、受刑者の頭蓋骨等の特徴を綿密に調査し、犯罪者には一定の身体的特徴があると主張した（生来性犯罪人説）。他方は、「社会が悪いから犯罪が発生するのだ」として、犯罪の原因を主として社会関係に求めた。

新派の学者達は、刑法とは生物学的・社会的原因によって生ずる犯罪から社会を防衛する手段であり（**社会防衛論**）、刑罰は社会にとって危険な性格を有する犯罪者に対する社会防衛処分であると位置づけた。応報刑論においては、自由意思に基づく行為に対する非難が刑事責任の基本であったが、新しい考え方の下では、社会にとって危険な性格を有する者は、刑事処分を甘受しなければならないということになった（**性格責任論**）。犯罪を防ぐために、その社会的原因を社会政策により排除すべきだし、個人的な犯罪原因については改善（教育）すべきだということになるのである（**教育刑論**）。この考え方は、改善・教育が認められるまでは刑罰を科すという、不定期刑の考え方と結びつくことになっていくのである。

⑷ 現代日本の刑罰理論

日本にも、このような考え方が導入され、目的刑論、特に教育刑論とそれに基づく主観主義犯罪論が牧野英一らにより展開された。社会的責任論・性格責任論を採用し、犯人の危険な性格に着目し、犯罪の成否の判断において、犯罪者の主観面を重視した。しかし、

日本では、このような考え方の支持は少なく、応報刑論と道義的責任論からなる旧派が主流になっていく（滝川幸辰、小野清一郎）。具体的犯罪行為を非難できるかが大切だとされた。第二次世界大戦後は、教育刑・不定期刑の考え方に、より一層批判が強まる。また、犯罪が減少し、治安が安定する戦後前半期には、処罰範囲の拡大と親近性を有する主観主義の支持は少なかったのである。もっとも、犯罪を犯した人を扱う矯正施設（刑務所等）では、新派的な、原因を取り除いて教育するという発想が圧倒的に有力であった。

旧派：応報刑論＋道義的責任論＋犯罪は自由な意思で犯す＋客観主義犯罪論
新派：教育刑論＋性格責任論＋犯罪には原因がある＋主観主義犯罪論

⑸　応報刑と目的刑の関係

　ただ、応報刑中心であったといっても、刑罰の予防効果を全く無視してきたわけではない。特に一般予防効果は重視されたのである（**相対的応報刑論**）。それでは、応報刑と目的刑は、どういう関係に立つのであろうか。いかにして結びつくのであろうか。

　ここで「応報刑と目的刑のどちらが正しいのであるか」という発問は無用な混乱をもたらす。犯罪を発見し捜査し処罰する際に用いる「罰」の意味と、裁判の段階、さらに、刑務所で処遇する段階の罰の考え方は、同じではない。そして、何より重要なのは、多くの人が「応報もあるけど、犯罪抑止も考える。両面ある」と考えていることである。

　罪と罰については、唯一の正しい定義が存在するわけではない。国民の規範意識によって決定されるのである。「国民一般には理解できないかもしれないが、正しい理論があり、それによって処罰範囲を考えていかなければならない」「国民の判断に従っていたら、感情に流される」という考え方もある。しかし、「普遍的に正しい

刑罰論の客観的根拠」など存在し得ない。少なくとも、国や時代によって異なり得るものなのである。

　現時点では、日本国民の過半数が刑罰の第一の意味を応報に求めている。罪刑の均衡は必要である。このバランスは「目には目を、歯には歯を」というほど単純ではない。現代の日本国民から見て、「常識的に重すぎる」というものが排除されていかねばならない。それは、哲学的に決まるのではない。

　また、刑罰を科す行為には、一般人が肯定するような「道義的非難」が必要である。犯罪抑止効果がありそうだからといって、非難することができない人を罰することは、好ましくない。それは、国民の利益につながる効果をもたらさないのである。「なんで、あんな行為を処罰するんだ」という場合まで処罰すれば、刑罰制度に対する信頼が得られない。さらに、国民一般として、非難に値する行為さえしなければ処罰されないということで、何をしたらいいか分かる。国民からの予測可能性というのは重要なのである。また、「非難に値しない行為」なのに処罰されたら、「運が悪かったから処罰された」と思ってしまう。特別予防の観点からも「応報・道義的非難」は必要なのである。

⑹　死刑について

　教育刑論からは、死刑は認められない。応報刑論や一般予防論からは、死刑は認められるが、そのような考え方の学説でも、死刑廃止論は多い。国家の手で「殺人」を行うことは許されないという主張にも、それなりの論拠はある。さらには、誤判のあったことを考えると死刑を執行してしまったら、取り返しがつかないことになる。

　ただ、それでも現在の日本の国民の間では、死刑存続論が圧倒的な支持を得ている。犯罪が増加に転じた昭和50年以降、世論調査では存置論が増加を続け、犯罪が減少に転じたのちの現在でも80％以

Ⅲ　刑法理論　　*29*

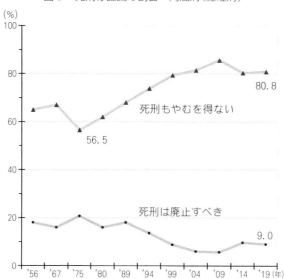

図8 死刑存置論の割合 内閣府(総理府)

上の国民が死刑の存置を選択し、廃止論は1割を割っている。

どのような行為まで、死刑を科してよいのかは、とりわけ裁判員にとって難しい問題であるが、①被害者の数、②用いられた凶器の種類や攻撃態様、③計画性・故意の内容（確定の度合い等）、④行為者と被害者との関係、⑤共犯者との関係、加功の程度に加え、⑥被告人の精神的・肉体的素質、生い立ち、前科・前歴、⑦社会に復帰した場合の社会的境遇や家庭環境、被告人の更生意欲、⑧犯行後の被害者に対する態度、誠意、⑨被害者側の意向、⑩事件の社会に与えた影響の程度等を総合して判断される。

3 第二次世界大戦後の犯罪状況と刑法理論

(1) 団藤刑法

戦後の前半の刑法学界は、戦前の反省から出発する。その代表が

団藤重光博士であった。学界はもとより実務にも影響力の強かった団藤博士の教科書『刑法綱要』の冒頭には、「刑罰権といった国家権力の発動がでたらめなものにならないようにするためには、あらゆる恣意を封じなければならない。罪刑法定主義はその立法的あらわれである」として、「微動もしない正確な理論構成への要請」がうたわれた。近代ヨーロッパの憲法理念に基づく日本国憲法の制定は、罪刑法定主義の強調を導き、形式的で明確な犯罪論体系が追求された。権力の側の「恣意的判断」を封じることが刑法理論の主たる役割とされたのである。刑法典は、犯罪の取扱いに際して、権力が国民を侵害しないように明示した「マグナカルタ」だという意見すらあった。

その結果、「法の枠内」での犯罪検挙の完遂が目標であり、権限を超える可能性のある捜査官・裁判官の裁量は禁じられた。被害者が救われなくても、捜査や処罰により被疑者の利益が害されないことが大切であった。戦前の刑事法の不当な運用に対する反省と、新憲法の基本的人権の重視から、具体的事案の妥当な結果より、法的安定性が重視されたのである。最も峻厳な制裁である刑罰の適用は、できる限り限定的な方がよいとする「刑法謙抑主義」が最も重視されたといってもよい（刑事訴訟法に関しては→2頁参照）。ただ、「処罰範囲を限定するほどよい」という議論が有力であり得たのは、第二次世界大戦前の刑事司法への消極的評価と、戦後前半期が、犯罪が減少し続けた時代だったという事情による面が大きい。

(2)　行為無価値論と結果無価値論の対立の意味

昭和40年代以降の刑法学における最も激しい論争であるとされるのが、違法性（行為の悪さ）の本質をめぐる行為無価値論・結果無価値論の対立であった。「悪い結果の発生」を違法性の根拠とする立場を結果無価値論と呼ぶ。これに対し、倫理・道徳を重視すると、

「悪い行為、悪い内心が違法性の主要部分である」という行為無価値論に至る。「行為」「行為態様」が悪いから処罰するという考え方といってよい。実際には主観面が重要な意味を持つ。そして、行為の倫理性を重視しやすい。

そして、昭和40年代から平成初期までの日本の刑法学は、次第に結果無価値論が優勢になっていく歴史であった。日本国憲法の個人主義的価値観が、次第に浸透していくプロセスであったという言い方もできよう。刑事法学の基礎となる価値観の問題としては、終戦直後は、やはり戦前からの価値観が継承されていた。それが、第二次世界大戦を経て憲法の改正により変更されて、定着していったといってよい。

両説の対立が最も表面化したのは、60年代後半の刑法改正をめぐる論争の際であったといってよい。そこでは、刑法の任務についての考え方の違いが具体的処罰範囲の差として鮮明に浮かび上がった。結果無価値を最も強調していくと、被害者のいないわいせつ物陳列罪、薬物の自己使用罪等も処罰すべきでないことになる。覚醒剤自己使用者は、病人であり、治療の対象であり、犯罪者ではないという形で、処罰範囲は、重大な侵害結果が発生した場合に限定する方向で議論されていった。

(3) 法と道徳と価値判断

少なくとも、「刑罰で特定の道徳を強要すべきでない」ということが強調され、「刑罰という重大な手段を用いて『立ち居振る舞い』を国民に押しつけるべきでない」という考え方が学界の大勢を占めていった。このような変化は、基本的には、「学者が議論して理論を深化させたこと」によってもたらされたわけではない。基本的には、戦後の日本社会の法意識の変化の投影にすぎない。

戦後前半期には、復興した日本が高度経済成長を遂げ、経済的に

欧米に追いつき、法意識・権利意識などの面も、日本国憲法が指し示した理想に近いものになると考えられていた。

しかし、個人主義の陰の部分も顕れだした。そもそも「欧米に近づくほどよい」とは思われなくなり始めた。昭和50年代以降の犯罪状況をみると、欧米の刑事システムは、日本のそれより優れているとは、とてもいえる情状ではなくなってきていた。そして、日本人は西欧型の刑事法システムを、国民性に合うように修正して用いているということも認識されるようになっていく。

現実の社会では、日本国憲法に含まれている価値観の変動が、一部始まっていく。冷戦構造の中で定着した自衛隊の存在がその象徴である。当初、憲法学者は「自衛隊は憲法違反である」と主張していたが、その主張は次第に背後に退いて、留保付のものが多くなっていく。

一方、刑法学者は、価値の存否、優劣についての議論を、「それは理論の問題ではない。政策の問題だ」として回避しようとする傾向があった。ただ、形式論としての「犯罪の成立範囲は明確でなければならないから、処罰するか否か微妙な事案は刑罰の対象としない方がよい」という主張は、そもそも処罰範囲に関して大きな価値判断を先取りしているのである。

戦後の日本の法解釈学を支配した法思想は、価値相対主義であった。「価値判断の問題は、客観的に優劣をつけることはできない」という考え方で、何が正しいかは、結局は個人の趣味の問題であると考える。個人はそれぞれ価値観を固有に持っており、それぞれが最大限尊重されなければならないという自由主義、個人主義が基調にあった。

⑷ 1980年代からの刑法解釈　実質的犯罪論

1980年代から犯罪の考え方が大きく変わっていく。その原因は、

やはり、戦後の日本社会が大きくカーブを切ったことであろう。それまでの刑法学者の議論の主流は、誇張していえば、「処罰範囲が狭いほどよい」「刑は軽いほどよい」というものであり、学者の仕事は、処罰を広げ過ぎる判例を批判することにあると、暗黙のうちに、前提とされていた。しかし、「被害者のことを考えなくてもよいのか」、「処罰範囲を広げる必要がある場合もあるのではないか」という方向の議論が、80年代以降みられるようになっていく。

　たしかに、刑法を狭く適用しておきさえすればいいという議論は、国民に対する説得力が弱くなっていった。例えば、賄賂罪などでも、学説には職務権限を狭く解するほどよいというような傾向があった。ロッキード事件等も、「従来の職務権限理解を拡大する解釈は許されない」という学説からは無罪になる。ところが現実には有罪になって、それを批判する議論も出ないまま定着していった。その処罰の範囲というものは、結局は国民の規範意識、国民の常識によって規定されるのである。

　ただ、平成15年以降は、治安が著しく好転し、処罰範囲を狭める力が働いてくるように思われる。しかし、「処罰は狭いほど正しい」という形式的な犯罪論には戻り得ないであろう。現在の日本において、国民が納得する処罰範囲を探求しなければならない。これから講ずる「犯罪論」も、それに資するものでなければならない。

4 客観的構成要件の理解

(1) 「構成要件に該当して、違法で、有責な行為」

　犯罪は、法律に定められた一定の行為の類型に当てはまる行為で、その行為が「悪いものである」と評価され（違法）、そして被告人に責任が認められなければならないという趣旨である。その行為について非難することができる場合に「責任がある」と考える。

　ただ、構成要件に該当すれば、行為は原則として違法で有責であり、阻却事由が認められない限りは、犯罪が成立する。

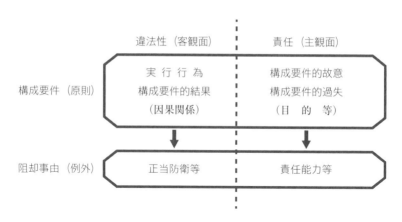

　刑法199条は、「人を殺した者は、死刑又は無期若しくは5年以上の懲役に処する」と定めている。このように、条文が示す犯罪行為を構成要件と呼ぶ。どういう行為をすれば犯罪行為になるかを示す枠である。「人を殺す」という行為をしたら殺人罪で処罰されるわけである。この「構成要件」は**罪刑法定主義**と不可分なものとして論じられてきた。国民を国家の恣意的な刑罰権行使から護るために、明確な処罰の限界を明示しなければならないと考えてきた。今後も

その点は、変わらないであろう。構成要件解釈は国民誰から見ても明確で、恣意的な判断が排除される構造のものでなければならないのである。

罪刑法定主義とは、**法律無くば犯罪無く、法律無くば刑罰無し**ということである。罪刑法定主義には「いかなる行為が犯罪であるかは国民自身がその代表を通じて決定しなければならない」という法律主義（民主主義的要請）と、「犯罪は、国民の権利・行動の自由を守るために前もって成文法により明示されなければならない」という事後法の禁止（自由主義的要請）が含まれているとされてきた。法律で前もって決めておくことが大事なのである。さらに、判例は犯罪と刑罰は明確に定められていなければならないという**明確性の理論**を採用している。罪刑法定主義は、あらかじめ明確な条文により犯罪行為を国民に明示することにより、㈲何が犯罪行為であるかを国民に告知し、㈹同時に警察官や検察官などの刑罰権の濫用を防止するとされるのである。

⑵　条文解釈の意味

しかし、「法律で前もって明確に」決めておいても、その先が問題なのである。そのような法律を実質的に解釈して、妥当な結論を導く必要がある。法律の枠内で裁判官が選択をせざるを得ない部分は残るのである。この点、伝統的な考え方は、法律の文言の解釈というものは恣意的であってはならず、形式的でなければならないというものであった。人権保障という観点から、条文の解釈に評価を加えてはいけないと考えてきた。

しかし、明確に定めるといっても限界があり、あらゆる条文は、解釈が必要である。そして、日本は法律改正が少なく、新しい問題状況が起こった場合に、刑事司法システムが法解釈を一定程度弾力的に行って、具体的妥当性を図ってきたのである。そして、戦後の

日本社会においては、法曹によって支えられてきた刑事司法システム内部での価値判断は、国民全体の意識から致命的に離れてはこなかったように思われる。選挙の結果により大きく揺れ動く「政治主導の世界」より、むしろ安定的だというメリットがあった。奇異に聞こえるかもしれないが、「具体的な法的評価に関しての国民の意識の吸い上げは、法律家による」という側面も認めるべきなのである。そして、裁判員制度が導入されたのである。「国民の納得のいく結論」を導く、法曹と国民の協働作業が正面から評価されるようになる。

しかし、「判例の処罰範囲が広すぎる」という批判も強い。「裁判官というのは、処罰を広げる性向がある……」。しかし、広すぎるか否かは、国民が決めざるを得ないのである。14頁の**図4**に示したとおり、国民の意識の変化と量刑は、基本的に連動しているのである。そして、「広すぎる」という理論的批判の根拠は、「処罰は狭いほどよい」という価値選択が既定されているか、「外国ではより限定的に解している」ということに帰着するのである。

(3) 日本人の常識と解釈

もちろん判例に代表される実務の積み上げ、さらにその背後にある国民の価値判断を重視するということが単なる現状肯定主義であってはならない。判例の積み上げから、常に新しい方向に発展させていくということが重要である。ただ、外国などを単純に真似たり、頭の中で理論を作り出してはいけない。日本は明治になって、法制度を外国から輸入したのであるから、「欧米の法理論に学ぶ」ということは誤りとはいえない。ただ、判例は、当初から、欧米とずれていたのである。

電気窃盗判例（大判明36・5・21刑録9・874）について、既に触れたが（→5頁）、従来の我が国の刑法学説は、「無罪にしたドイツの

解釈こそが、正しい罪刑法定主義感覚である」として、「日本の判例は罪刑法定主義を理解していない」という趣旨の批判をしてきた。しかし、本当にドイツ流の処理が正しくて、日本のそれは遅れているものなのであろうか。

しかし、実は、これと同じようなパターン、つまり、日本では緩やかに解釈して処罰した事案を、ドイツでは厳格に解して無罪にした例が、電気窃盗以来100年の間ずっとみられるのである。最近のものでは、**クレジットカード詐欺**が典型である。ドイツでは詐欺罪の要件に該当しないとされているが、日本では詐欺罪が成立する。**コピーの文書性**の問題も類似する。我が国では、20万円の領収書をコピーする際に200万円に改ざんして、そのコピーを提出すれば文書偽造になる。しかし、ドイツでは、コピーの文書性を否定するのである。

この100年間、日本の法律家の解釈がドイツより劣っているとはいえないはずである。日本的なやり方、柔軟に法律を解釈して、妥当な処罰範囲に到達するという解釈手法も、一つの選択だと思うのである。そして、一番大事なポイントは、どちらのやり方が正しいかを決めるのは、やはりその国の国民なのだという点である。

実質的構成要件解釈
最決令2・9・16（刑集74・6・581）：医師でない者が、業として、タトゥーショップで、針を取り付けた施術用具を用いて皮膚に色素を注入した行為が医業（医行為を業として行うこと）をなしたとして、医師法17条違反に問われた。

第1審判決は、医行為とは、医師が行うのでなければ保健衛生上危害を生ずるおそれのある行為をいうとし、本件行為は医師が行うのでなければ皮膚障害等を生ずるおそれがあるから医行為に当たるとした。これに対し控訴審は、皮膚障害等を生ずるおそれはあるが、医療及び保健指導に属する行為ではないから、医行為に当たらないとした。

【最高裁の判断】医行為の解釈は、医師が独占して行うことの可否や当否等を判断するため、当該行為の目的、行為者と相手方との関係、当該行為が行われる際の具体的な状況、実情や社会における受け止め方等をも考慮し、社会通念に照らして判断するとし、「タトゥー施術行為は、装飾的ないし象徴的な要素や美術的な意義がある社会的な風俗として受け止められてきたものであって、医療及び保健指導に属する行為とは考えられてこなかった」とし、「タトゥー施術行為は、医学とは異質の美術等に関する知識及び技能を要する行為であって、医師免許取得過程等でこれらの知識及び技能を習得することは予定されておらず、歴史的にも、長年にわたり医師免許を有しない彫り師が行ってきた実情があ」るとし、本件行為は社会通念に照らして、医療及び保健指導に属する行為であるとは認め難く、医行為には当たらない」と判示した。

(4) 構成要件の基本構造

客観的な構成要件の主要な部分は、生じた**行為**と**結果**とその間の**因果関係**から成り立つ。

国民にとって悪い**結果**があるので、犯罪として処罰する必要がある。「人が死んだ」という結果が出発点である。ただ、例えば殺人の場合、殺そうとして、弾丸が命中はしても、病院の努力で一命を取り留めたような場合、結果が発生した場合よりは軽いものの、処罰してよいと考える。これを、殺人未遂罪とするのである。未遂罪は、重要な犯罪について規定されている。結果が起こらなかったという意味では、刑を軽くできるのであるが、規準となる刑の重さは、殺人罪の既遂の場合と同じなのである。「殺されかけた」というのは、国民から見て重大な害悪だからである。結果発生の危険性、すなわち「結果が起こる可能性の高い状態」が発生したから未遂として処罰するのである。その意味では、危険性という「結果」が客観的に要求されていると説明することもできるのである。結果発生の蓋然性という意味での危険の発生を要求する犯罪を危険犯と呼ぶ。

III 刑法理論 **39**

未遂犯も一種の危険犯ということになるわけである。

なお、「構成要件が予定する結果」といえるか否かの判断にも、評価が含まれざるを得ない。判例も、明治時代から、処罰に値しない些細な結果を、構成要件に該当しないとしてきた。もっとも、このような軽微犯についての無罪判例は、刑事司法システムの中で微罪処分や起訴猶予によりふるい落とされるため、裁判で問題となることは非常に少ないのである。

(5) 実行行為の重要性

各構成要件が予定する行為を実行行為という。例えば殺人罪の実行行為は、「人を殺す行為」である。「殺す」行為とは、たまたま死の結果を生ぜしめた行為の全てを含むのではなく、人の死を導くような可能性をもった行為でなければならない。例えば、新幹線の事故で死ねばよいと思って無理に新幹線に乗せたところ、たまたま実際に事故死した場合でも、新幹線に乗せる行為は「殺す行為」とはいえない。

実行行為の実質的把握
最決平16・3・22（刑集58・3・187）：Xらは、クロロホルムを使ってVを失神させた上、乗用車に載せ、車ごと崖から川に転落させて溺死させるという計画を立て、計画どおり、多量のクロロホルムを染み込ませてあるタオルをVの背後からその鼻口部に押し当て（「第1行為」）、2km離れたI港まで運び、ぐったりとして動かないVをV使用車の運転席に運び入れた上、同車を岸壁から海中に転落させて沈めた（「第2行為」）。Vの死因は、特定できず、第1行為により死亡していた可能性があった。また、Xらは、第1行為自体によってVが死亡する可能性があるとの認識を有していなかった。判例は、第1行為が実行行為ではなく、第2行為と併せて一体の実行行為と解している。
【判旨】「第1行為は第2行為を確実かつ容易に行うために必要不可欠なものであったといえること、第1行為に成功した場合、それ以降

の殺害計画を遂行する上で障害となるような特段の事情が存しなかったと認められることや、第1行為と第2行為との間の時間的場所的近接性などに照らすと、第1行為は第2行為に密接な行為であり、実行犯3名が第1行為を開始した時点で既に殺人に至る客観的な危険性が明らかに認められるから、その時点において殺人罪の実行の着手があったものと解するのが相当である。また、実行犯3名は、クロロホルムを吸引させてVを失神させた上自動車ごと海中に転落させるという一連の殺人行為に着手して、その目的を遂げたのであるから、たとえ、実行犯3名の認識と異なり、第2行為の前の時点でVが第1行為により死亡していたとしても、殺人の故意に欠けるところはなく」実行犯3名については殺人既遂罪が成立するとした。

　実行行為は、様々な役割を果たす。まず①当該構成要件を特色づけ、処罰の範囲を画する。例えば財産であっても、全ての態様の侵害行為から保護するのではなく、窃取（窃盗罪）、騙取（詐欺罪）、喝取（恐喝罪）等の特定の侵害態様に限って処罰するのである。

　②正犯性を基礎づける。正犯とは「実行行為を行う者」なのである。ただ、実行行為は、必ずしも行為者自身が自らの手で行う必要はない。あたかも、ピストルを道具として、人を殺すように、事情を全く認識していないウェートレスに、毒入りのコーヒーを運ばせて目的の人物を毒殺する行為も、殺人罪の実行行為であることには変わりない。このように、人を「道具」として犯罪を実行する場合を、**間接正犯**と呼ぶ。

　そして、③実行行為を開始することを**実行の着手**と呼ぶ。実行の着手が認められると、未遂として処罰可能となるのである。さらに、④生じた結果について行為者に責任を問い得るか否かの判断である**因果関係**は、実行行為と結果との間において問題となる。実行行為に至らない準備（予備）から結果が生じても因果関係は問題とならない。例えば、殺人の目的で毒入り酒を戸棚の奥に準備しておいたところ、目的外の人間がそれを飲んで死んでしまった場合、殺人予備罪と過失致死罪にしか該当しない。

Ⅲ　刑法理論　**41**

間接正犯の具体例

最決令2・8・24（刑集74・5・517）：病状を透視し遠隔操作をするなどの非科学的な難病治療を標ぼうしていた被告人は、生命維持のためにインスリンの投与が必要な1型糖尿病にり患している幼年の被害者の治療を親から依頼され、インスリンを投与しなければ死亡する現実的な危険性があることを認識しながら、自身を**信頼して指示に従っている母親**に対し、インスリンは毒であるなどと**インスリンを投与しないよう脅しめいた文言を交えた執ようかつ強度の働きかけを行い**、被害者へのインスリンの投与をさせず、その結果、被害者を死亡させたという事案である。母親は、「被害者が難治性疾患の1型**糖尿病**にり患したことに**強い精神的衝撃を受けていた**ところ、上記のような働きかけを受け、被害者を何とか完治させたいとの必死な思いとあいまって、被害者の生命を救い、1型糖尿病を完治させるためには、**インスリンの不投与等のＸの指導に従う以外にないと一途に考える**などして、本件当時、被害者へのインスリンの投与という**期待された作為に出ることができない精神状態に陥っていた**」とし、被告人もこれを**認識**していたとして、未必的な殺意をもって**母親を道具として利用し被害者を死亡させたもの**と認められるとして殺人罪の成立を認めた。（なお、治療法に半信半疑であった父親との間では、保護責任者不保護罪の共同正犯が成立するとされた）。

(6) 不作為と実行行為

　不作為犯とは、不作為によって犯罪が構成される場合で、真正不作為犯と不真正不作為犯に大別される。**真正不作為犯**とは、刑法107条の不解散罪や、130条後段の不退去罪のように、そもそも構成要件自体が不作為の形式を採用するものである。これに対し、作為の形式で規定された通常の構成要件が不作為によって実現される場合を、**不真正不作為犯**と呼ぶ。例えば、母親がミルクを与えないことによって乳児を死なせるような場合が典型例である。不真正不作為犯は、作為犯と同じ重さの刑で処罰されるので、作為との**等（同**

価値性という視点が重要となる。

刑法上の不作為は、**一定の期待された作為をしないこと**と解されている。「当該期待された行為がなされたならば、当該結果が生じなかったであろう」という関係が認められれば、因果関係がある。

不作為犯を処罰するのは、作為義務が認定できる場合に限られる。例えば、海で溺れている人を放置した救助可能な泳力の人間を、全て殺人罪で処罰するわけにはいかない。殺人罪を構成するだけの**作為義務**が必要である。作為義務を課すには、その前提として、当該作為により結果発生を防止し得ること（**結果回避可能性**）が必要である。

刑法上の作為義務は道徳上の義務ではなく、法的義務である。その発生根拠としては、かつては、①法令に基づく場合や夫婦の間の義務、②契約、事務管理等による場合、③慣習に基づく場合や、④条理（特に先行行為）に基づく場合が重視されてきた。しかし、①〜④のいずれかに該当すれば、作為義務が認定できるわけではない。結局は、①行為者が結果発生の危険に重大な原因を与えたのか否か（**先行行為**）、②既に発生している危険性をコントロールし得る地位にあるか（**危険の引き受け**）、それに加えて③当該結果の防止に**必要な作為**が可能か、④他に結果防止可能な者がどれだけ存在したのかという事情を基に、各犯罪類型ごとに、作為義務の限界を確定していかなければならない。そして、それに加えて、⑤法令や契約等に基づく、行為者と被害者の関係も考慮せざるを得ない。⑥さらに、他の関与者が存在する場合には、「誰に帰責すべきか」という判断も加わる。

最決平17・7・4（刑集59・6・403）は、「Xは、**自己の責めに帰すべき事由により患者の生命に具体的な危険を生じさせた上、患者が運び込**

Ⅲ　刑法理論

まれたホテルにおいて、Ⅹを信奉する患者の親族から、重篤な患者に対する手当てを**全面的にゆだねられた立場**にあったものと認められる。その際、Ⅹは、患者の重篤な状態を認識し、これを自らが救命できるとする根拠はなかったのであるから、直ちに患者の生命を維持するために必要な医療措置を受けさせる義務を負っていたものというべきである」とした。①Aの手当てを全面的にゆだねられており、②Ⅹが点滴等を中止させ、③医療措置を受けさせることは十分可能で、④他の者は干渉し得なかった以上、Ⅹの不作為に殺人罪の実行行為性を認めたのは合理的である。

(7) 未遂─実行行為の開始

刑法43条は、「犯罪の実行に着手してこれを遂げなかった者は、その刑を減軽することができる。ただし、自己の意思により犯罪を中止したときは、その刑を減軽し、又は免除する。」と規定している。未遂罪の処罰を定めた犯罪類型においては、実行の着手が認められれば、既遂犯の法定刑で処罰し得るが、減軽することが可能である（**任意的減軽**）。

> 実行行為自体が終了しない**着手（未終了）未遂**と、実行行為は終了したが結果が生じなかった場合を指す**実行（終了）未遂**がある。前者は、射殺しようと引金に指を掛けたが弾丸は発射されなかった場合で、後者は弾丸は発射されたものの命中しなかった場合である。

処罰の根拠を「犯人の主観面」中心に考える立場は、未遂も既遂と同じ刑で処罰すべきだということになりかねない。人を殺そうとしてピストルを発射した以上、弾丸が命中したか否かは、その犯罪性の程度を判断するに当たり、重要でないと考えるのである。そしてこのような考えは、結果として、未遂の処罰の範囲を拡げることになる。犯罪を犯そうと思った以上、「結果は発生しそうもない」という場合でも処罰することになる。この反対の極には、徹底した客観的犯罪論がある。結果が発生して初めて処罰するということに

近づき、徹底すると「客観的な法益侵害の結果」が発生していない未遂は、処罰をしなくてもよいという結論にまで至り得る。しかし、現行の刑法はそのどちらの考え方をも否定している。未遂処罰規定が現に存在している以上、客観的犯罪論の徹底は不可能であり、他方、刑法典は未遂処罰を例外的なものと扱っているし、判例ではかなり刑は減軽されている。

　未遂処罰を実質的に捉えると、「重大な法益についての侵害発生の確率が高く、禁圧すべき必要性の高い行為」については、「結果が生じなくとも処罰する方が合理的だ」と解される。結果発生を待たないで処罰することによって生ずるマイナス（処罰範囲の曖昧化や刑法の内心への介入など）を上回る未遂処罰のメリットが存在すると考えられるかどうかを、裁判官や裁判員は判断するわけである。また、犯罪を厳しく禁圧しなければならない要請の強い社会や時代には、予防的に広く処罰する傾向が生じることになる。

> 　**予備**とは犯罪の実行の着手に至らない**準備行為**のことである。内乱罪、放火罪、殺人罪、強盗罪等の極めて重大な犯罪についてごく例外的に規定されているものである。日本でも立法化が試みられた、**共謀罪**（コンスピラシー）は、違法な行為ないしは適法な行為の違法な方法による実現についての合意一般を処罰するもので、準備すら要件とはしない。
>
> 　平成29年に組織的犯罪処罰法が改正されて、「テロ等準備罪」が設けられたが、同罪は、共謀を処罰するのではなく、テロその他組織的犯罪集団が、団体活動として所定の犯罪を計画し、さらに実行準備行為を行わなければ成立しないことに注意を要する。

⑻　着手時期についての具体的判断

　着手時期に関する主観説は、新派の主観主義刑法学を基盤とし、できる限り行為者の主観によって着手時期を判断しようとし、**犯意の明確化**した時点と捉えた。この立場からは、人を殺そうと刀を抜

Ⅲ　刑法理論　**45**

いて家に侵入すれば殺人未遂となり得るわけである。一方、客観説によれば、構成要件の一部の実行の開始が必要だということになる。しかし、これを形式的にあてはめると、物に直接触らない限り窃盗の着手はないとすることにもなりかねない。そこで、結果発生の可能性が一定程度以上に高まった時点が着手だとされている。

　一定程度の危険性という基準は、理論的説明としてはよいのであるが、捜査官や裁判員が判断する具体的基準としてはほとんど意味がない。各構成要件の文言を基礎に、未遂犯として処罰をすべき範囲を具体的に類型化する作業が必要となる。結局は、それぞれの構成要件の実行行為、例えば殺す行為が始まったといえるかを判断することになる。

特殊詐欺の着手時期
最判平30・3・22（刑集72・1・82）：特殊詐欺の被害に遭った者に対して、警察官を装って、警察官になりすました共犯者が現金の交付を受けるため、被害者に「預金を下ろして現金化しておく必要がある」と申し述べた行為が詐欺未遂罪に該当するとした。
【判旨】原審が、「財物の交付に向けた準備行為を促す行為」は、詐欺被害の現実的な危険を発生させる行為とは認められないとしたのに対し、一連の嘘を述べた行為は、「あらかじめ現金を被害者宅に移動させた上で、**現金を交付させるための計画の一環として行われたものであり、嘘の内容は、その犯行計画上、現金を交付するか否かを判断する前提となるよう予定された事項に係る重要なものであった**」とし、嘘の内容には、現金の交付を求める行為に直接つながるものが含まれており、既に詐欺被害に遭っていた被害者に対し、申し向けた内容を真実であると誤信させることは、共犯者の「**求めに応じて即座に現金を交付してしまう危険性を著しく高めるもの**」といえるとし、「嘘を一連のものとしてAに対して述べた段階において、Aに現金の交付を求める文言を述べていないとしても、詐欺罪の実行の着手があったと認められる」とした。

⑼ 不能犯

　形式的には実行の着手があっても、そもそも当該行為の危険性が極端に低く、未遂として処罰に値しない場合を不能犯（不能未遂）と呼んで、処罰しない。弾の出ないモデルガンで殺そうとしたり、致死量に到底達しない微量の毒物で殺そうと試みるような手段に関する不能を**方法の不能**といい、犯罪の目的・客体に関する不能、すなわち射殺しようと弾丸を撃ち込んだところ、人に見えるかかしであったような場合を、**客体の不能**と呼ぶ。

　不能犯と処罰すべき未遂犯を区別する基準に関する学説は、非常に複雑な形で対立していた。かつては、行為者が考えていたことがそのまま実現したら危険性があるのかを問題とする主観説も唱えられていたが、現在は「行為時に、一般人が認識し得た事情を基礎に、一般人を基準に具体的危険性の有無を判断する立場」（具体的危険説）と、行為時に存在した全事情を基礎に、客観的に判断する立場（客観的危険説）が対立していると考えられている。理論的には、後者は行為後の事情まで含めて、事後的に純科学的に考えるべきだという考え方にも至るのであるが、そうなると、事後的に見れば実際に結果が生じなかった「理由」を見つけだすことはできるので、全て「未遂になるべくして未遂に終わった」ということになってしまう。そうすると、結果が生じなかった場合は全て不能犯で、処罰すべき未遂犯はなくなる。しかし、殺人罪の6割が殺人未遂罪である現実を前提とする限り、そのような解釈は採用すべきではない。そこで、現在有力なのは、危険性はあくまで行為時ないし「未遂結果」発生時に一般人を基準に考えるべきだという具体的危険説となる。しかし、問題は、どのような事実が存在・認定できれば、「一般人が危険だと思う」といえるかにある。例えば、特殊詐欺の事案で、被害者が気付いて警察に通報し、いわゆる「だまされた振り作

Ⅲ　刑法理論　　**47**

戦」を行っていた場合、金銭が犯人に渡る可能性は微妙である（最決平29・12・11刑集71・10・535参照）。

　一方、客観的危険説といっても、「国民の常識」の視点から、「未遂犯として処罰に値する危険性の存否」を吟味するのである。具体的危険説より、高度な危険性を要求するという点に差異が存在するが、問題は未遂犯として処罰に値する危険性の具体的内容である。それは「理論」から導かれるのではなく、国民の規範意識の中から抽出するのである。

　最判昭51・3・16（刑集30・2・146）は、起爆装置の欠陥により爆発しない手製ピース缶爆弾の導火線に点火して投てきした行為も、爆発物取締罰則1条にいう爆発物の「使用」にあたるとした。客観的には絶対に爆発しないのに実行行為性を認めたのであるから、具体的危険説で説明しやすいであろうが、手製ピース缶爆弾の形状・性能がどのようなものであっても実行行為性を認めるわけではない。大判大6・9・10（刑録23・999）は、人を殺そうと硫黄を飲ませる行為につき未遂の成立を否定した。昭和51年と大正6年の治安状況等の差も加味しなければならないし、それ以上に、犯罪実行状況の具体的な認定が重要である。一般人が認識し得る事実を基礎にするか、客観的に存在した全事情を基礎にするかの「二者択一」で未遂の成否が決まるわけではない。仲間の者が頭部等に既に銃創を負わせて死亡させた後に、とどめを刺すつもりで路上に仰向けに倒れていた被害者の腹部、胸部などを日本刀で突き刺す行為につき、殺人未遂罪の成立が認められた（広島高判昭36・7・10高刑集14・5・310）。客観的に死体なのだから、「死ぬ可能性」はないのだが、殺人未遂の成立は認めるべき事案であったといえよう。

⑽　中止犯

　未遂犯のうち、自己の意思で止めた**中止未遂（中止犯）**について

は刑の**必要的減免**が認められる。問題は、いかなる場合に「自己の意思により」中止したといえるかである。**行為者の認識が一般人にとって通常、犯罪の完成を妨げる内容のものであるか否か**を基準に考えなければならない（最決昭32・9・10刑集11・9・2202）。本人が、主観的に後悔・悔悟の念を持っていたと認定できれば、通常任意性は認められるが、それだけでは、必ずしも決定的ではない。恐怖驚愕に基づいて止めた場合や、かわいそうだと思って止めた場合も中止犯になり得る。自発的に止めたという判断にとって最も重要なのは、国民から見て「通常、結果の妨害となる性質」であると思われる。それは量刑を決める事情とも深く結びつく。もちろんその判断は、非常に微妙で、「どちらともいえない」という場合が出てきてしまう。その際には、行為者の悔悟の情の存否が意味を持ってくるように思うのである。一般人なら通常思いとどまる事情が存在しても、悔い改めたり深く反省した上で犯行を中止した場合には、少なくとも量刑上減軽を認め得るように思われる。判例が、悔悟の情を重視しているように見えるのも、実はこのような判断を行っているからだと考えられるのである。

⑾　因果関係論

　実行行為が存在し当該構成要件が予定する結果が発生したとしても、両者に因果関係が認められなければ構成要件は完成しない。実行行為と現に生じた結果との間に客観的に「原因と結果」と呼べる関係が必要である。刑法上の因果関係が問題になるのは、行為時に特殊な併存事情や、介在事情が存在した場合である。

　刑法の因果関係を認めるには、まず、当該行為が存在しなければ当該結果が発生しなかったであろうという関係（「あれなくばこれなし」の関係：**条件関係**）が必要だとされる。ここで、条件関係は、かなり広い範囲で認められることに注意しておかなければならない。

例えば、殴って軽傷を与え救急車で病院に運ぶ途中交通事故で死んだ場合でも、殴ることと「死」の条件関係は存在する。殴らなければ救急車には乗らず、救急車に乗らなければ死ぬことはなかったからである（条件関係があれば刑法上の因果関係を認める考え方を**条件説**と呼ぶ）。

　我が国では、一般人の社会生活上の経験に照らして通常その行為からその結果が発生することが相当と認められる場合に刑法上の因果関係を限定する相当因果関係説が有力になる。相当因果関係説には客観説、主観説、折衷説が存在する。ただどの説も、行為時に一般人を基準に相当性を判断する点では変わりがない。対立は、いかなる事情を基礎に相当性を判断するかにあるのである。**客観説**は、行為時に発生した全事情と、予見可能な行為後の事情を基礎に相当性を判断し、**主観説**は、行為者が行為時に認識した、又は認識し得た事情を基礎に相当性を判断する。そして、**折衷説**は、行為時に一般人が知り得た事実及び行為者が特に知っていた（「知り得た」ではないことに注意）事情を基礎とするのである。判例の中には相当因果関係説を採用しているものもあったが（最決昭42・10・24刑集21・8・1116）、判例は、基本的には「ある行為が原因となって、ある結果を発生した場合に、其行為のみで結果が発生したのでは無くて、他の原因と相まって結果が発生した場合でも其行為は結果の発生に原因を与へたもの」としてきた（最判昭22・11・14刑集1・1・6）。

　判例が因果関係を認める「相まって」といえる場合の解析が必要となる。条件関係のそれは「行為の射程範囲内」の結果か否かとも表現できるが（藤木英雄・『刑法講義総論』100頁）、実行行為の有する客観的危険性の大小を基本に、他の原因の異常性の程度と、他の原因の結果への寄与などの大小を総合して、実行行為の危険が現実化したといえるかが、判断されているのである。

判例は、「判断基底（判断の基礎として考慮する事情）」と「判断基準（判断基底を基に行う相当性判断の基準）」を分けず、また、行為時・行為後の事情を区別することもなく統一的に判断し、そして、「相まって」生じたのか、「併存（介在）事情が原因で」生じたのかという「基準」で因果関係の有無を判断している。

　そして、「相まって」ということから、実行行為が必ずしも「主たる原因」である必要はなく、実行行為と結果の中間に、犯罪行為が介在しても、それ以前の実行行為に帰責されることを認めてきた。戦前から、一貫して「直接の原因である必要はない」ということを強調してきた。

　判例は、他の原因があったとしても、実行行為の危険性が、結果に具体化したと評価してよいか（相当性があるか）を問題にするが、条件関係があれば「極めて偶然なものを除く」にすぎない。医療過誤の介在はもとより、医師の血液型を間違えた輸血により死亡した場合でも、因果関係を認める。判例は、行為時の「われわれの経験則上予想しえない事情」が存在した脳梅毒事件等でも、因果関係を認める。

> (イ)　実行行為に存する結果発生の確率の大小
> (ロ)　介在事情の異常性の大小
> (ハ)　介在事情の結果への寄与の大小

　ただ、判例は、「結果発生の蓋然性の程度」「予見可能性の程度」のみによって因果関係の有無を判断しているわけではなく、また行為時の特殊事情・介在事情が一般人にとって予見可能か否かで「二者択一的」に判断しているわけでもない。①実行行為そのものの危険性（行為時における結果発生の蓋然性の程度）を基本に、②行為時併発事情・行為後介在事情の異常性（①により誘発されたものであれば因果性が認めやすい）、③実行行為と併発・介在事情の最終結果への寄与度等を総合衡量して因果関係の有無を判断している。

Ⅲ　刑法理論　*51*

最判昭25・3・31（刑集4・3・469）は、目の周りに直径約5cmの暗紫色の「あざ」が10日間残るほど強く左目を履物で蹴ったところ、脳梅毒に罹患していた被害者の脳が脆弱であったため脳に異常が発生して死亡した場合に、「行為当時その特殊事情のあることを知らずまた予測もできなかったとしてもその行為がその特殊事情と相まって致死の結果を生ぜしめたときはその行為と結果との間に因果関係を認めることができる」とした。一般人が知り得なかった事情も入れて判断するのは酷だという批判もあるが、この程度の攻撃を加えて脳組織に異常が生じて死んだのであれば、不当な判断ではない。そして、判例は、条件説を採用したものでも、行為時の全事情を入れて判断していると断定すべきではない。被害者が外観上は分からないが、血友病に罹患しており、僅かの傷を与えたところ、そこから出血して死亡したような場合には、因果関係は認めないと思われる。

　Ⅰ　実行行為の危険性が重大で**致命傷**を与えた場合には、併存事情・介在事情があっても、因果関係は認められる。最決平2・11・20（刑集44・8・837）は、被害者を意識消失状態に陥らせた後、港の資材置場に放置して立ち去ったところ、何者かによって角材でその頭頂部を数回殴打され、幾分か死期が早まった事案につき、犯人の暴行と被害者の死亡との間の因果関係を肯定した。また最決平16・2・17（刑集58・2・169）は、多量の出血を来す刺創等を負わせたところ、医師の対応でいったんは容体が安定したにも関わらず被害者が無断退院しようとして、体から治療用の管を抜くなどして暴れたことが原因で容体が悪化し脳機能障害により死亡したという事案において因果関係を認めた。

　Ⅱ　併発事情・介在事情が「容易に」予想し得る場合は、実行行為が致命的なものでなくとも因果関係は認められる。路上に転倒した被害者は通行車両によつて轢過されるおそれが強いし（最決昭47・4・21）、人体に有害なアルコールを販売すればそれを譲受けて飲用する者のあることは一般的に予想できるし（最判昭23・3・30）、傷を負わせたところ、苦痛にたえず又は新な暴行を避けるため自ら水中に入つて死亡す

ることも予想できる（大判昭2・9・9刑集6・343）。

　Ⅲ　介在事情が、実行行為から**誘発**された場合も、原則として帰責される。最決平15・7・16（刑集57・7・950）は、長時間激しくかつ執ような暴行を受け極度の恐怖感から、被害者が高速道路に進入した結果死亡した事案に関し、介在事情は暴行を逃れる為に「著しく不自然、不相当であったとはいえない」として、死の結果は、「暴行に起因するものと評価することができる」としたのである。最決平4・12・17（刑集46・9・683）は、潜水訓練の際に訓練生を事故死させた事案で、指導補助者及び被害者に適切を欠く行動があったことは否定できないが被害者の死亡との間に因果関係は肯定できるとし、最一小決平18・3・27（刑集60・3・382）は、トランク内に監禁して停車していたところ、自動車に追突された死亡事案に、監禁致死罪の成立を認めている。

5　故意と過失

(1)　故意とは何か

　客観的な構成要件に該当しただけでなく、主観的構成要件要素が満たされて、はじめて犯罪となる。主観面も含めて判断しないと、「何罪が成立するか」は特定しない。

　人に向けて銃を発射させて、その弾丸により被害者が死亡した。何罪の構成要件に該当するのであろうか。殺人罪と思う人が多いであろうが、殺すつもりでなければ傷害致死罪かもしれない。傷つけたり脅すつもりもなく、被害者を不注意にも熊だと思って発射した場合には、過失致死罪（刑法210条）に当たり、罰金刑にしか処せられないのである。
　このように、客観的には、全く同じ行為でも、主観的にどのように考えて行ったかで、あてはめる犯罪、つまり構成要件が違うのである。構成要件は、外部に発生した事実と行為者の認識を組み合わせて決まるのである。人が犬を連れて歩いているところに銃弾を撃ち込む行為は、人を殺そうとしたら殺人罪の実行行為であるが、犬を殺そうとしたのならば器物損壊（動物傷害）罪の実行行為なのである。

主観的構成要件とは、故意と過失(→60頁)である。故意とは、構成要件事実、犯罪事実の認識（認容）である。「構成要件の認識」の有無は、明確に、そして容易に判断しうると考えられがちであるが、ここでも「解釈」が必要である。

　例えば、わいせつでないと思っていれば、どんな画像を Web で公開しても、わいせつ物陳列罪の故意は欠けるのであろうか。また追越し禁止区間なのに、追い越してもよいと軽信して追い越した場合に故意犯は成立するのであろうか。学説の多くは、「他車を追い越す」という行為をそれと認識して行っている以上、故意はあるが、「追い越してもよい」と信じたことに相当な理由があれば（このような場合を、「**違法性の意識の可能性**がなかった」と呼ぶのであるが）、故意責任は問わないとするのである。故意（構成要件の認識）があったとして、違法性の意識はなかった（法を犯す意思はなかった）場合をどうするかという形で議論する（→56頁）。犯罪事実の認識はあっても、故意がない場合を認めることが、学説では有力であった。ところが、判例は、追い越し禁止の認識がなければ故意はないとするのである。

　そもそも、「構成要件の認識の有無」の判断は簡単ではない。そのよい例が、薬物に関する**最決昭54・3・27（刑集33・2・140）**なのである。覚醒剤のつもりで麻薬を輸入したという行為について、輸入した麻薬についての故意犯が成立するとした判例である。麻薬という認識はない。そして、麻薬と覚醒剤では扱う法律が違う。麻薬輸入罪の最も重要な構成要件要素は「麻薬」であろう。しかし、その認識がなくても故意があるといったことになる。故意は構成要件の形式的な認識ではないのである。

　「構成要件の認識があるか否か」は、「一般の人が悪いと思うか否か」と無関係ではない。「どういう認識があれば故意責任を問い得るか」、「故意をなぜそれだけ重く処罰するか」「そもそも、故意の基本となる責任非難とは何なのか」等に遡って考えていくと、

「その罪について責任非難できるだけの、行為と結果の認識が故意である」ということになってくる。

⑵　未必の故意

　故意と過失の限界、つまりどこからが未必の故意で、どこまでが認識ある過失かの限界について、「結果か発生が蓋然的である」と考えれば未必の故意を認めるのが**蓋然性説**である。「結果が起こってもよいと認容した」ことを基準にするのが**認容説**である。故意を、「犯罪事実の認識・認容」と定義する場合、認容説を前提とする場合も多いが、判例は、認識と認容を総合的に評価して故意非難が可能かを決める。

　たとえば、検問している警察官に対し、「このまま突っ込めばひくかもしれない」と考えつつ突っ込んで、警察官を死亡せしめた場合を考えてみよう。その時に認容説では、「ひいてもかまわないと思っていた」と供述させれば故意が認められるが、そのような供述が得られなければ、過失犯として処理するということになる。「認容を立証する供述の存否」は明快ではないかということなのであろう。しかし、「ひいても仕方ない」という供述がそんなに簡単に得られるものではない。通常は供述させるだけの客観的証拠を積み上げて取り調べるのである。

　そして、そのような「認容」という心情的な事情を認定することより、「ある程度の確率でひくことは認識していた」ということを認定する蓋然性説の方が合理性がある。警察官との距離とスピードの関係、ハンドルの切り方、さらにはブレーキ痕等を積み上げて、どの程度ひく可能性があったのか、そこから詰めていくしかない。もちろん、客観的な事情があれば、即故意があるというのではない。やはり、「ある程度の蓋然性は認識していたはずだ」と裁判官が心証を取れるかどうかなのである。合理的な疑いを超えて、被告人は

Ⅲ　刑法理論　　**55**

この程度の蓋然性を認識していたという心証が取れれば故意があるといえる。

　結局、残る問題は何かというと、どの程度のものが「蓋然的」なのかという点である。そして、この探求作業こそが、現代日本における「責任」、「非難可能性」の内実を求める最前線の一つなのである。例えば、ロシアンルーレットの場合、故意は認められるのか。6連発のピストルに1個弾丸が入っていれば6分の1の確率で弾が飛び出してくる。被害者を強制して自己の頭に向けて引き金を引かせる行為は殺人罪になる。6分の1でも蓋然的なのである。まさに、規範的な評価であって、その使われた道具や、具体的状況等を勘案して、どの程度の蓋然的なものを故意と認めるかを日本の国民の規範意識から判断しなければならない。まさに「非難可能性」の内実なのである。

⑶　錯誤の意義

　「錯誤」とは、行為者の主観と客観、故意と犯罪結果の「ずれ」である。先ほどの「追越し禁止区間なのに、追い越してもよいと軽信して追い越した場合」も錯誤である。この錯誤の中には、事実の錯誤と法律の錯誤がある。事実の錯誤は、犯罪事実についてのきちんとした認識が欠けていることになるので故意が否定されることになる。法律の錯誤は、事実は認識していても「許される」と思った場合である。判例は、故意の成立に必要な事実の認識に欠けることはないので、故意非難は可能だと考える。しかし、学説の有力な考え方（制限故意説・責任説）によれば、故意はあるけど違法性の意識の可能性がない（悪いと思う余地がない）ことがあるので、故意が否定されたり責任が否定される場合があるとするのである。そして判例のように考えると、故意犯の成立範囲が広すぎると批判してきた。

56

しかし、裁判所は、法律の錯誤と事実の錯誤を区別するとき、事実の錯誤というのは「故意がなくなる錯誤」と考えているのである。そして故意があるかどうかの判断は、形式的なものではない。「何か車を追い抜いた」という認識では、追い越し禁止の罪の故意は認められない。判例における法律の錯誤と事実の錯誤の限界は、「故意非難できない程度の重大な錯誤か否か」によって判定されてきたのである。故意非難には「追い越し禁止区間で追い越したことに認識が必要だ」と考えるのである。そのような認識がなければ、一般の国民は追い越し禁止の罪の違法性を認識できないからである。

無許可営業に関する**最判平 1・7・18（刑集43・7・752）**は、県の担当者が問題ないと言ったこともあって、許可は下りていないことを認識しつつ営業した事案に関し、故意の成立を否定した。「正式の許可が下りていない認識があるのだから無許可の認識はあるので、せいぜいが法律の錯誤だ」とは考えないのである。当局者との関係で許されていると思ったという事情は、「違法性認識の可能性」ではなく、故意の有無の判断において意味を持つのである。

⑷ 事実の錯誤と国民の常識

事実の錯誤とは、思っていたことと客観的に生じたことにずれがあることである。ただ、現実には、認識した事実と完全に一致した事実が発生することはむしろまれである。そこで、故意が否定される事実の錯誤は、一定程度以上の重要なものを意味することになる。問題は「どの程度の食い違いがあれば、客観的事実が該当する犯罪類型の故意を否定するのか」という点にあったといえよう。

事実の錯誤は、㈠客体の錯誤、㈡方法（打撃）の錯誤、㈢因果関係の錯誤の３つの態様に分かれる。㈠**客体の錯誤**は、Ａだと思って殺したところ実はＢだったような場合である。それに対し㈡**方法の錯誤**は、Ａを狙ったところ隣のＢを殺してしまった場合である。㈢

因果関係の錯誤は、狙った客体に認識どおりの結果が発生したが、結果発生に至る因果の経過が認識と異なる場合であり、例えばAを溺死させようと川に突き落としたところ、橋桁に頭を打ちつけて死んだ場合である。

認識と事実がどれだけずれた場合に故意の成立を否定すべきかを決定する基準に関し、2つの学説が対立している。(a)**具体的符合説**は、認識した内容と、発生した事実が具体的に一致していなければ故意は認められないとする見解で、(b)**法定的符合説**は、両者が構成要件の範囲内で符合していれば故意を認めるとする見解である。我が国では、ドイツの学説の影響を受けて具体的符合説を採用する見解も有力ではあるが、判例は、ほぼ一貫して法定的符合説を採用している。

具体的には、Aを殺そうとして誤って隣に立っていたBを殺害した事例の場合が問題となる。具体的符合説は、Aに対する殺人未遂と、Bに対する過失致死を認め、法定的符合説は、Bに対する殺人既遂を認めるのである。

法定的符合説は、AであろうとBであろうと「およそ『人』を殺そうとして『人』を殺した以上殺人既遂罪が成立する」と考えるといってよい。殺人罪は「人」を殺す罪だからである。これに対し具体的符合説は、それでは故意犯の成立範囲が広すぎるとし、Aを殺そうとして失敗し誤ってBを殺してしまったにすぎないと考える。

一方、法定的符合説に対し、XがAを殺害しようとしてA・B2名を殺した場合、法定的符合説では故意の内容以上の刑責を認めることになるので理論的に誤っているという批判がなされてきた。具体的符合説では、Aに対する殺人既遂とBに対する過失致死を認めることになるが、法定的符合説の「人を殺そうとして人を殺した以上殺人既遂罪が成立する」という考え方を徹底すると、Aに対する殺人既遂とBに対する殺人既遂の観念的競合とすることになるから

である。さらに法定的符合説によれば、方法の錯誤の典型例である
XがAを殺害しようとしてBのみ殺害した場合に、Bに対する殺人
既遂罪に加え、Aに対する殺人未遂罪が成立することになるはずで
ある。しかし、法定的符合説は、Bに対する殺人既遂罪のみを問題
にしていると批判された。

　そこで、理論的に具体的符合説が正しいのだから、Aを殺そうと
して誤って隣に立っていたBを殺害した場合、殺人既遂を認めるべ
きではないということになるのである。しかし、これは「逆立ちし
た論理」である。「殺人既遂」が正しいと多くの国民が考えれば、
その結論を採用し得る「理論」を作るべきなのである。問題は、
「どの程度ずれたら、国民は故意責任と言えないと考えるか」とい
う「規範的評価」の問題なのである。

　「客観的事実に応じた犯罪類型の故意を成立させるだけの認識が
存在したか」という故意論としては、例えば殺人罪の故意非難には
「人」を殺す認識で十分であるというのが、現在の日本の常識で、
「その人」、「Aという特定の人」を殺す認識を要求する具体的符合
説は、少数説なのである。

　　認識した犯罪類型と異なる犯罪類型に属する結果が生じた場合をど
　う処断するのかを扱うのが、**抽象的事実の錯誤論**である。例えば、X
　がAが路上に置いた自転車を奪った場合に、「放置されたものだから、
　占有離脱物横領罪には当たっても窃盗罪には該当しない」と思ってい
　た場合はどうなるのだろう。Aが側にいれば客観的には窃盗罪である
　が、Xの主観は占有離脱物横領罪である。
　　ここでも、「生じた結果が該当する犯罪類型の故意が成立するには、
　どの程度の認識が必要か」が問題となり、「構成要件の範囲内で、主観
　と客観が一致すればよい」とする**法定的符合説**が有力である。ただ、
　構成要件が異なっても、国民の常識から考えて、両者が同質的なもの
　で重なり合う場合にはその限度で軽い罪の故意犯の成立を認めるべき
　である。例えば、「他人の自転車を領得する」という認識があれば、客
　観的には持ち主の占有する物を奪っていても、持ち主の占有支配が及

Ⅲ　刑法理論　　*59*

ばない物を奪う罪がその中に含まれていて、その部分については、故意犯は成立するのである。逆に主観的に窃盗罪のつもりで、結果的に占有離脱物横領罪を犯した場合には、窃盗の犯意に占有離脱物横領の犯意は含まれているので、故意犯は成立するということになる。

⑸　過失

　刑法38条1項は故意処罰を原則とし、過失犯は特別に規定のある場合に限り処罰する旨定めている。過失とは、**不注意**、すなわち注意義務に違反して**犯罪を実行する**場合である。

　注意義務違反とは、**意識を集中していれば結果が予見でき、それに基づいて結果の発生を回避し得たのに、集中を欠いたため結果予見義務を果たさず、結果を回避し得なかったこと**とされてきた。過失の注意義務は、**結果予見義務**と**結果回避義務**の2つから成り立っている。そして「結果を予見せよ」という義務を課すには、「一般人ならば予見することが可能であった」ということが前提となる。結果回避に関しても回避可能性が必要である。結果予見・回避義務はそれぞれ、予見・回避可能性と表裏の関係にある。

業務上過失
　刑法は、業務上の注意義務違反には、過失犯の刑罰を加重している（117条の2前段、129条2項、211条前段）。**業務**とは各人が社会生活上の地位に基づき反復継続して行う事務である。業務上の注意義務違反を重く処罰する根拠は、業務者であるということのために特に**重い注意義務**が政策的に課されると説明される。交通事故防止等の政策的目的が大きく影響しているといえよう。
重過失
　注意義務違反の程度が重大なものを重過失といい、通常の過失より重く罰する（117条の2後段、211条後段）。例えば、自招の酩酊による殺害行為等は、重過失致死罪（211条後段）となる。ほとんどは、「業務上」にも該当し業務上過失として扱われてきたため、統計上は重過失の例は少ない。

自動車運転過失致死傷罪

　平成19年に、より悪質な交通事件に相応する科刑を可能とするため、刑法211条2項に、自動車運転過失致死傷罪（7年以下の懲役・禁錮・100万円以下の罰金）が設けられた。「自動車の運転上必要な注意を怠り、よって人を死傷」させる行為で、これまで業務上過失致死傷罪として処理されてきた交通事犯は、本罪に該当することになった。平成26年に、自動車事故関連の犯罪行為をまとめた自動車運転処罰法が新設され、その5条に過失運転致死傷罪として、そのまま規定されることになった。

　被害者・第三者が**適切な行動を取ることを信頼するのが相当な場合**に、それらの者の不適切な行動により犯罪結果が生じても刑責を負わなくてよいとする理論を**信頼の原則**という（最判昭41・12・20刑集20・10・1212、最判昭42・10・13刑集21・8・1097）。必ずしも、交通事故関連に限定されることなく、企業活動や医療活動にまで認められるようになる（札幌高判昭51・3・18）。交通事故における信頼の原則は、基本的には、車対車の場合に限られる。車対人の場合に適用するには特別の事情が必要で、被害者が高齢者や幼児の場合はほとんど認められない。突飛な行動の可能性が否定できないからである。

　監督過失とは、**過失による法益侵害結果を直接生ぜしめた者（直接行為者）を監督すべき義務を有する者に過失責任を問うこと**である。しかし、一時期の監督過失論は、火災事故を前提に論じられることが多かったため（最決平2・11・16刑集44・8・744、最決平2・11・29刑集44・8・871）、「避難計画を立て、その訓練を実施させる監督義務」等の自らの直接的介入も含まれた型の監督過失が、中心となった。また、近時は、監督者の注意義務として物的な**安全体制確立義務**が問題にされる。これは、厳密には監督過失とは異なるが、スプリンクラーの設置義務等が、火災事故の「監督過失」として議論され、むしろ、それが中心となっていく。

Ⅲ　刑法理論　　**61**

結果の予見可能性が、最も重要な過失の構成要素といってよい。判例は、**結果発生の不安感・危惧感**では足りないとしている。ただ、構成要件結果（人の死）の予見は必要であるとしても、結果の個数を重視すべきではないし、因果関係の予見可能性も、過失責任にとっては重要ではない。判例は、**因果関係の基本的部分の予見可能性**を重視しているように見えるが、判例は、最終結果の予見可能性を直接吟味することが困難な場合に、それを認識すれば一般人ならば結果を予見し得るだけの**中間項**を設定し、中間項の予見可能性があれば最終結果の予見可能性があるとしているといえよう。

<u>6</u>　正当化事由・責任阻却事由

⑴　構成要件に該当するのに許される場合

　構成要件に該当しても、違法性や責任が認められなければ犯罪は成立しない。もちろん、殺人罪の構成要件に該当すれば、原則として違法であるし、責任もある。しかし、正当防衛などの正当化事由や責任能力を欠く場合などが、存在するのである。

　「現在の日本の法秩序は何を禁じ何を許すのか」という違法性の問題は、①法秩序はいかなる法益を守るのかと、②法益が衝突し合う場合に法秩序は何れを優先させるのかという2つの問題に分かれる。前者が、構成要件該当性の問題である。②の問題は、正当化事由（違法阻却事由）が認められるかという形で議論される。例えば、殺されそうになったので、相手を刺殺した場合、どの範囲で許されるのか。全く別の問題に見えるが、「報道活動により名誉が害された場合でも、表現の自由、国民の知る権利を衡量すると許される場合があるのだろうか」という問題も、似た判断なのである。そもそも、①の問題も価値観の多様化した現代社会では難しい判断を要請

されているわけであるが、それ以上に、法益（利益）がぶつかり合う場合にいずれを重視するのかという判断は、難しい課題なのである。

　日本の判例の違法阻却の考え方は、①行為が正当な目的で行われ、②その目的のための手段として相当な行為で、③その行為を行う必要性があり、④行為によって得られたものが、害された利益とバランスを欠くものでない場合に正当化されるといってよい。

　刑法は、違法阻却事由として、35条の正当行為、36条の正当防衛、37条の緊急避難を定めている。その中では、圧倒的に正当防衛が重要である。

(2)　正当行為・業務行為

　刑法35条は正当行為として、**法令による行為**と業務行為を正当化する。法令行為とは、公務員の職務として法定された行為のことで、例えば、死刑執行官の死刑執行行為は殺人行為であるが違法性が否定される。捜査機関の逮捕・勾留も監禁罪の構成要件に当たるのであるが正当化される。ただ、逮捕の際に、不相当な行為が行われた場合には正当化されない。

　一方、社会生活上の地位に基づいて反復・継続される行為を業務という。業務であれば何をやっても正当化されるというわけではなく、あくまで「正しく行われた」業務が正当化されるのである。それゆえ、35条は正当行為に関する一般規定とされることも多いのである。そして、業務行為も基本的には、優越的な利益が認められるから正当化されるといってよい。

　業務行為の代表例が、医師による治療行為である。例えば、手術は外形上傷害に該当するのであるが、刑法35条により正当化されるので、傷害罪で処罰されないと説明される。そして、正当化の要件としては、治療目的（目的の正当性）、医学上の法則に従うこと

Ⅲ　刑法理論　**63**

（手段の相当性）、患者の同意が挙げられている。ただ、現実には、医療行為について故意犯としての傷害罪が問題になることはない。医療過誤として、過失犯の成立が争われるのみである。

⑶　日本の正当防衛の特徴

　正当防衛とは、急迫不正の侵害に対して、自己又は他人の権利を防衛するためにやむを得ずに行った行為である。近代以降の法治国家においては、私人の実力行使を禁止し、緊急の場合には一定の範囲で例外を認める。しかしその例外の範囲と程度は国によって、また時代によって異なる。我が国は、欧米諸国に比較して正当防衛の許容範囲が狭い。日本では、緊急状態になっても、なるべく警察に代表される国家権力の発動を待つべきだとする規範意識が強い。そこで判例は、「刑法36条は、急迫不正の侵害という緊急状況の下で公的機関による法的保護を求めることが期待できないときに、侵害を排除するための私人による対抗行為を例外的に許容したものである」としたのである（最決平29・4・26刑集71・4・275）。「公的機関」とは、主として警察を意味することはいうまでもない。

　正当防衛の解釈の枢要な部分は、①犯罪行為ではあるが、正当防衛として行ったといえるのか（相手の**急迫不正な侵害**に対応するために行ったのか。むしろ、それをきっかけに「攻撃」したのか。）、②防衛とはいえても**過剰**ではないのかの 2 点である。

　そして、これらの点も、時代や国によって微妙に違うのである。「普遍的に正しい正当防衛概念」など存在しない。例えば何が「やむを得ない行為か」は、国によってかなり異なるのである。

　アメリカに留学した学生がハロウィーンのときに、お面を被って住宅に入ろうとして射殺された服部君事件（1992年）は、日本では、「いきなり銃で撃つなんて」「銃器社会は悲惨である」といって、非常に注目された。銃器を取り締まっていかなければ、日本もアメリカのよう

になってしまうとされた。ただ、同事件の犯人は正当防衛とされていたのである。アメリカでは、銃を突き付けて「止まれ」といったのに止まらなければ、引き金を引くしかないということなのであろう。

　また、ドイツでも、19世紀には、他に方法がなければパンを盗まれた人が犯人を銃で撃つことも、正当防衛とした例がある。日本の正当防衛理解と、アメリカの理解といずれが正しいのか。日本とドイツではどちらが正しいのか。そもそも、そういう問題の立て方自体が無意味である。その国その時代にとっての正しい正当防衛概念しかあり得ないのである。

⑷　急迫不正の侵害に対する防衛行為

　正当防衛とは、急迫不正の侵害に対してのみ許される。**急迫**とは、法益の侵害が現に存在しているか、又は間近に押し迫っていることである。通常、急迫の侵害とは予期せぬ不意の攻撃を意味するが、攻撃をあらかじめ予期しておりそのとおりの侵害が発生したため防衛行為を行った場合も正当防衛となり得る。例えば、強盗がよく出没するというので護身用に木刀を準備していたとしても、現に強盗に襲われれば急迫だといわざるを得ない。

　ただ、最高裁は、その機会を利用し積極的に相手に対して加害行為をする意思（**積極加害意思**）で侵害に臨んだときは急迫ではないとしている（最決昭52・7・21刑集31・7・747、前出最決平29・4・26）。いかなる意思で臨もうと、客観的に侵害が押し迫っていれば急迫と考えることもできるであろうが、重要なのは、「積極的に攻撃した」と評価できる場合には、正当防衛にはならないという評価である。防衛のための行為とはいえないという言い方でもよいであろうが、「形式的には相手の侵害が先にある以上、正当防衛にならざるを得ない」という考えは、少なくとも現在の日本社会では、誤りだということである。挑発行為等、防衛であることを疑わせる事情が存在した場合も、形式上は正当防衛の要件を満たすように見えても、全

Ⅲ　刑法理論　**65**

体として「防衛行為ではない」と評価される場合がある。

　また、最決平20・5・20（刑集62・6・1786）は、防衛行為者が攻撃されるに先立って相手に暴行を加えていた事案に関し、相手の侵害行為は暴行の程度を大きく超えるものでないものであり、「暴行に触発された、その直後における近接した場所での一連、一体の事態ということができ、不正の行為により自ら侵害を招いたものといえる」から、防衛行為は、「何らかの反撃行為に出ることが正当とされる状況における行為とはいえない」として、正当防衛の成立を否定している。

　反撃に出ることが相当かは、①**加害意思が当初から存在したか、侵害に対応して行為時に生じたか**、②**侵害の予想・認識の程度**、③**挑発行為の存否・程度**、④**侵害が予想を超えたか否か（超えた程度）**等を総合して判断される。①〜③を総合して、急迫侵害状況に陥ることを回避すべき場合には、正当防衛性を否定すべきである。

　判例は**けんか**の場合、**けんか両成敗**の原則を採用し、両当事者に正当防衛を認めない場合が多い。それは、相互に挑発行為が存在し、そのうちの一方のみに対して防衛を認めるのは不合理である場合が多いからである。

⑸　やむことを得ない行為

　次に、防衛行為は、やむを得ずにしたものでなければならない。不正の侵害には立ち向かうべきであるという意識の強いドイツなどでは、権利を守るのに不要な行為以外は必要性の要件を満たすという考え方が強いのであるが、日本では、一般に、反撃行為が権利を防衛する手段として**必要最小限度の行為**でなければならない趣旨であると考えられてきた。できるだけ相手への加害・その危険の少ない手段が選択されなければならないとする考えが有力なのである。

　そして、「やむを得ずにした」といえるためには、守ろうとした

利益が、侵害結果に比し著しく不均衡ではないということが必要である。財産を守るために、盗犯を殺害することは許されないのである。そして、用いられた防衛手段の危険性が侵害（攻撃）に対し相当なものでなければならない。同じく重傷を負わせた場合でも、細い棒で叩いたら相手が避けた際に頭を壁にぶつけたために傷が生じた場合と、斧で同じ程度の傷を負わせた場合とでは、差があるのである。侵害行為時に、より軽微な手段を選択し得た場合には、違法評価が変わり得る。そこで、より軽度の危険性を伴う行為の選択の可能性が問題となる。このような事情を総合する概念として、判例は「相当性」を用いる。この判断においても、国民の常識が問題となるのである。

> 急迫不正の侵害に対し、防衛のために行った行為が、防衛の程度を超えた場合を**過剰防衛**という（刑を減軽し、又は免除することができる）。素手や棒などの攻撃に対し凶器を用いて防衛する場合のように、必要以上に強い反撃を加えて防衛の程度を質的に超えた場合（**質的過剰**）と、当初は防衛の程度の範囲内にある反撃であったが、反撃を続けるうち、相手方の侵害の程度が弱まり又は止んだのに、なおそれまでと同様又は更に強い反撃を続けた場合、すなわち反撃が量的に相当性を超えた場合（**量的過剰**）の2つの類型が存在する。急迫不正の侵害や防衛のため等の要件を欠いている場合には、過剰防衛となる余地はない。

⑹　緊急避難

刑法37条は、現在の危難を避けるため、やむを得ずにした行為を処罰しないと定める。しかし、緊急避難が認められることは非常に少ない。正当防衛との最大の違いは、急迫「不正」の侵害ではなく、現在の危難に対する行為である点である。相手が悪くない場合でも正当化されるのである。それゆえ、緊急避難では、護る利益と侵害される利益が均衡を保っていなければならないし、それ以外にやり

Ⅲ　刑法理論　　*67*

ようがなかった場合に限られる（補充性）のである。

⑺　期待可能性

　客観的に違法な行為であり、故意・過失が認められても、すなわ
ち、客観的・主観的構成要件に該当し違法阻却事由が存在しなくて
も、なお行為者が主観的に非難し得ない場合には処罰できない（**責
任主義**）。国民から見て非難可能でなければ処罰されることはない。
そして、「正しい行為を行うことが可能であったのに、犯罪行為を
行ったこと」に非難の根拠があると考えられている。別の言い方を
すると「行為時に存在する具体的事情の下で行為者が違法行為では
なく、他の適法行為を行い得るであろうと期待し得る可能性」がな
ければならないとされているのである（**期待可能性**）。

　宗教団体の教祖らの指示により、対応いかんによっては殺害され
る危険性のある状況下にあった信者Xが、抵抗できない状態にある
元信者Aに対し、ロープでAの頸部を締め付け窒息死させた事案
（オウム真理教元信者リンチ殺害事件）において、東京地方裁判所
は、「たとえA殺害がXの身体の拘束を解く条件であったとしても、
Xとしては、これを拒否するなどしてA殺害を回避しようとするこ
と、あるいはYに対してAの助命を嘆願し、翻意を促すなど、その
場でAを殺害しないで済むような努力をすることができた」とした。
期待可能性論による責任阻却は、法規範が弛緩してしまう危険があ
り、裁判所はその適用につき慎重な態度を採っている。

　期待可能性に関して最も議論が多いのは、その判断の基準・標準
の問題である。伝統的な道義的責任論の立場は、行為の際における
具体的事情の下で、当該行為者が他の適法行為をなし得る可能性が
必要だとする（行為者標準説）。しかし、行為者の全てを理解する
ことは、全てを許すことになり法秩序が弛緩するといわざるを得な
い。やはり、一般人が行為の際に行為者の地位にあったとして、他

の適法行為をなし得る可能性の有無を論じるべきだとする一般人
（平均人）標準説が妥当である。ここでも、国民の常識をよりどこ
ろに判断されなければならない。

⑻　責任能力

　責任能力が欠ける人の行為は非難できない。刑法39条は、責任能
力を欠く者として**心神喪失者**、責任能力の著しく減退した者を**心神
耗弱者**と定め、前者については無罪とし、後者については刑を減軽
する。心神喪失・耗弱ともに医学上・心理学上の知見を基礎に判断
されるのであるが、あくまで法的概念であり、最終的には裁判官・
裁判員が最終決定を行う。

　現在、責任無能力とは、精神の障害により物事の是非善悪が弁別
できないか、それに従って行動する能力がないこととされている。
精神の障害とは、精神医学上の病気と考えられてきた。そこで、責
任能力の判断は、医師が「行為時に病気であったか否か」を中心に
判断してきたのである。

　責任の本質とは、「非難可能性」であり、「犯罪行為でない正しい
他の行為ができたのに、それをしなかったので非難できる」と、一
般に考える。そこで、是非善悪が分かってそれに従ってきちっとし
た正しい行為を行える能力は、本質的な要請であると考えられてき
た。

　責任の本質から導かれる「責任能力概念」は、洋の東西を問わず
普遍的に妥当すると説明されることも多い。ところが、アメリカで
は、レーガン大統領暗殺未遂事件をきっかけに、日本の責任能力理
解と異なった規定に改正された。犯人のヒンクリーには行動制御能
力がなかったとして無罪とされたが、その後、ほとんどの州で責任
能力に関する部分の刑法改正の動きが起こった。主たる州は、制御
能力の要件を外して、是非善悪さえ分かればよいという修正を行っ

Ⅲ　刑法理論　　***69***

た。極端な州は、責任能力規定を廃止したのであるが、いずれにせよ、全ての州で「行動制御能力」は不要とされることになった。

応報の考え方を素直に適用すると、制御能力を欠くような者を処罰するということは許されない。責任主義に反するということになる。しかし、アメリカは、そのような「責任主義」は、不要だと考えたのである。

日本でも、責任能力の概念は微妙に変化してきた。昭和50年代に異常に増加した覚醒剤中毒患者の責任能力判定問題がかなり影響したのである。精神医学の通説では、覚醒剤中毒患者は統合失調症と類似したものとして扱われ、その結果、医師は、覚醒剤中毒の被告人につき心神喪失との意見を添えることが多かったのである。しかし、覚醒剤を施用して犯罪行為を行った被告人の責任評価については厳しい態度で臨む裁判所が多く、精神科医の意見が採用されないことが目立つようになった。そのような中で、最高裁は「心神喪失又は心神耗弱に該当するかどうかは法律判断であって、専ら裁判所に委ねられるべき問題であることはもとより、その前提となる生物学的、心理学的要素についても、右法律判断との関係で究極的には裁判所の評価に委ねられるべき」であるとしたのである（最決昭58・9・13判時1100・156）。そして、このような判断方式が統合失調症の事案にも導入されていくのである（**最決昭59・7・3刑集38・8・2783**。なお、**最決平20・4・25刑集61・5・1559**参照）。

措置入院

心神喪失と認定されると無罪が言い渡されるが、精神保健福祉法29条の措置入院として、事実上強制的な自由の拘束が課されることがあることに注意しなければならない。なお、心神喪失者は検察段階の精神鑑定（起訴前鑑定）により不起訴とされる場合も多いのである。

そして、2003年7月に、心神喪失等の状態で重大な他害行為を行った者の医療及び観察等に関する法律（**医療観察法**）が成立し、「対象行為を行った際の精神障害を改善し、これに伴って同様の行為を行うことなく、社会に復帰することを促進するため、入院させてこの法律による医療を受けさせる必要」がある時には強制入院が認められている（42条1項1号）。

7 共犯論

(1) 日本の共犯の実像

　現実の犯罪は、複数の者が関与する場合も多い。また、他者の犯罪に参加した行為者をどう扱うのかも、問題となる。このような問題を扱うのが共犯論である。

　刑法典は60条で、2人以上が共同して犯罪を実行する共同正犯を定め、61条で人を教唆して犯罪を実行させる教唆犯を規定しているわけである。教唆とは人をそそのかして犯罪を実行させる行為で、正犯に準じて、そそのかした犯罪の法定刑の範囲内で処罰される。そして62条は、正犯を幇助する従犯（＝幇助犯）について定めているのである。幇助とは、正犯の実行を容易にする行為で、正犯より刑が減軽される（63条）。幇助した犯罪の法定刑に法律上の減軽を施した範囲で処断される。

　教唆と幇助を狭義の共犯と呼ぶが、この数は実際には非常に少なく、共犯関係の存在した刑法犯有罪人員の2％にすぎない。特に教唆犯は0.2％で、61条は実際にはほとんど機能していないといってもよいのである。我が国では共同正犯が圧倒的に重要であり、共犯論も共同正犯を中心としたものに転換していかなければならない。

図9　共犯有罪人員の内訳（平成10年）

　日本では、教唆として処罰されるというのは実はまれなのにもかかわらず、ドイツの影響もあって、その教唆を原形にして共犯論が支配的である。例えば、「共犯本質論」とされる共犯従属性説と独

立性説の対立も、主として教唆を念頭に置いていたのである。30年程前から「教唆はなぜ処罰されるのか」という共犯処罰根拠論が輸入され、責任共犯論、因果的共犯論等の概念が一時かなり流行ったが、判例ではほとんど問題にされず、下火になっていった。

共犯従属性説と共犯独立性説の対立は、前者が旧派の客観主義犯罪論、後者が新派の主観主義犯罪論に結びつくとされ、犯罪理論の中でも最も激しく論争された部分であった。前者は、正犯者の実行の着手がなければ教唆犯は成立しないとするのに対し、後者は成立を認める。しかし、実はこの対立は未遂に関する客観説と主観説の対立の投影であったともいえるのである。どの程度の結果発生の危険性が発生すれば共犯として処罰するのかという問題なのである。共犯を処罰するには正犯が実行に着手しなければいけないということは、正犯が結果発生の実質的危険を生ぜしめなければ教唆を処罰すべきでないという主張なのである。そして、戦後の日本では、「人を殺してこい」と言っただけで、殺し屋が被害者のそばまで行かなくても、殺人未遂（教唆）とするのでは処罰が早すぎるという判断が圧倒的多数なのである。

⑵　共犯と間接正犯

　現実の共犯論の領域で、議論されることの多い問題の一つが、「親が刑事未成年の子に命じて財物を盗んでこさせたらどうなるのか」という問題であった（例えば、最決昭58・9・21刑集37・7・1070）。そして従来は、まず教唆の成否を論じたのである。教唆とは「犯罪をそそのかした」ということであるので、12歳の子では刑事未成年だから「犯罪」は完成していないことが問題となる。この、正犯の行為がどの程度「犯罪」として完成していれば教唆が成立するかを、「要素従属性」、「従属性の程度」と呼んで詳しく議論してきた。

　かつては、「犯罪」は「構成要件に該当し違法で有責な行為である」とする極端従属性説が有力であったが、「違法性は正犯と共犯で共通するが、責任は個別に判断される」という説明により制限従属性説も有力化する。しかし、教唆にならないから間接正犯だとい

う「引き算」は不合理である。まず、間接正犯として処罰するだけの根拠が必要なのである。

> (a)誇張従属性説：犯罪＝構成要件＋違法性＋責任＋処罰条件
> (b)極端従属性説：犯罪＝構成要件＋違法性＋責任
> (c)制限従属性説：犯罪＝構成要件＋違法性
> (d)最小限従属性説：犯罪＝構成要件

最判昭58・9・21（刑集37・7・1080）は、10歳の娘を脅して窃盗を働かせた父親に、窃盗の間接正犯を認めた。この結論は、制限従属性説では説明できず、極端従属性説が正しいことになる。たしかに、子どもをそそのかせば教唆になるかというと、そうではない。小さな子どもであれば、むしろ、幼児を利用した間接正犯であろう。しかし、12歳の子どもに窃盗をそそのかす行為は教唆と言わざるを得ないように思われる。子どもの年齢、子どもに対する働きかけの態様によって結論は当然動く。要素従属性の形式論で、間接正犯の成立範囲を画することは不可能なのである。最判昭58・9・21が間接正犯を認めた際重視したのは、父親が親として命令したということに加えて、言うことを聞かないとタバコの火を押しつけるとか、ドライバーで突き刺すとか、反抗できないような状況に追い込んで盗ませたという事実なのである。

そして、**最決平13・10・25**（刑集55・6・519）は、12歳10か月の息子に対し、エアーガンを突き付けて脅迫するなどの方法により金品を奪い取ってくるよう指示命令し実行させた母親について、意思を抑圧するに足る程度の命令ではなく、息子自身の意思で強盗を決意したのであって間接正犯は成立しないとした上で、教唆犯でもないとし、強盗の共同正犯を認めた。1審、2審も含め、裁判官達は皆、共同正犯だと考えたのである。強盗罪の場合、12歳の息子を「道具」として実行したとは言いにくい。息子が自らの意思で暴行・脅迫を行ったといわざるを得ない。しかし、母親が実質的に利得しており、教唆でもないのである。

Ⅲ　刑法理論

⑶ 共同正犯

　刑法60条は、「共同して犯罪を実行した者」を全て正犯とすると定めている。共同のとは、相互に意思を通じて犯罪を実行することといってよい。共同正犯とされれば、関与者は全員の惹起した責任について帰責される（**一部行為の全部責任の原則**）。これに対し、二人以上の者が、意思の連絡なしに同一の客体に対し同一の犯罪を同時に実行することを同時犯と呼ぶが、同時犯においては、各自は自己の行為についてのみ責任を負えばよいのである。

　共同正犯に必要な共同実行には、㈠**客観的に共同「正犯」と認められるだけの重要な役割を果たし**、㈡**共同正犯者間に意思の連絡（共同実行の意思）が認められ**、㈢**単独正犯における故意に相当する共同正犯の認識（正犯者意思）が必要**である。

共同正犯性の判断要素
　Ⅰ　客観的に自ら犯罪を行ったと評価できるか
　　　　①役割の重要性　共謀者と実行行為者との関係
　　　　②実行行為以外の行為に加担している場合の内容
　　　　③利得の帰属
　　　　④犯行前後の関与態様（犯跡隠蔽行為等）
　Ⅱ　主観的に正犯者意思を有したか
　　　　①犯行の動機
　　　　②共謀者と実行行為者間との意思疎通の態様

　共同正犯にとって、意思の連絡が重要だが、判例は、意思の連絡の考えにくい**過失の共同正犯**を認める（最決平28・7・12刑集70・6・411）。たしかに、過失犯の実行行為の重要部分は無意識的なものだが、危険な行為を行うことについての意思の連絡があれば、「一部行為の全部責任」を導き得ないわけではない。ただし、判例は、**業**

務上過失致死傷罪の共同正犯が成立するためには、共同の業務上の注意義務に共同して違反したことが必要であるとするのである。

⑷　共謀共同正犯

　共謀共同正犯論とは、客観的な実行行為は分担しないが、共謀に参画した者を共同正犯とする理論で、例えば、殺人の謀議では主導的役割を果たしたが、現場には全く行かなかった中心人物を共同正犯とする考え方である。**練馬事件判決**（最判昭33・5・28刑集12・8・1718）が、「共謀に参加した事実が認められる以上、直接実行行為に関与しない者でも、他人の行為をいわば自己の手段として犯罪を行ったという意味において、その間刑責の成立に差異を生ずると解すべき理由はない」として、実務上の共謀共同正犯の位置を明確にした。ただ、ドイツ刑法を基礎とする刑法60条は、当初、そのような場合を共同正犯として想定してはいなかったといってよい。共同「正犯」である以上、何らかの実行は必須と考えた学説は、実行行為をいっさい分担しない者についても共同正犯を認めるという考え方に消極的であった。実行行為を分担しない以上、教唆とすべきだと考えてきたのである。「正犯とは、実行行為を行う者」なのである。共同「正犯」も「正犯」である以上、実行行為の少なくとも一部は行わなければならないとされた。

　ところが、判例は一貫して共謀共同正犯を認めてきたのである。そして、判例の考え方を学説が受け入れるという形で、ほぼ決着がついたように思われる。学界を代表して、「実行行為をしない共謀者は共同『正犯』ではありえない」と主張した中心人物である団藤博士が、最決昭57・7・16（刑集36・6・695）の中で共謀共同正犯を認めた。現在では、共謀共同正犯を一切認めない説は非常に少数になってしまった。

　学説の批判にもかかわらず、実務が共謀共同正犯を定着させ、さ

Ⅲ　刑法理論　　**75**

らに学説もそれに従うことになった経緯は、明治以来の日本刑法学の象徴であったといってよい。明治時代に日本の輸入した西欧型の共犯概念では、正犯こそが「直接手を下した者」であり、最も重い評価を受ける。それをそそのかしたりして手伝うのは、「中心的役割を果たす」ことではない。ところが、日本の伝統的な発想では、背後でそそのかして、中心になって計画を進めた者（**造意者**）が一番重い評価を受ける。そこで日本の実務は、「一番罪が重い者」を「（共同）正犯」として把握しようとした。首謀者が「教唆」だというのは耐えられなかったのであろう。教唆でも共同正犯でも、刑の重さは同じにできるが、サリン事件の麻原被告を教唆と呼ぶのは「しっくりこない」のである。日本人の規範意識として、「自分の犯罪として行った者」「犯罪の中心」という視点は、正犯、共同正犯を考える上では、軽視できない。それに対し、学説の多数は、西欧型の「手を下す者が正犯で、それ以外が共犯だ」という発想をそのまま展開しようとしたのである。

⑸　共同正犯の因果性・共謀の射定

　承継的共同正犯とは、先行行為者が、既に実行行為の一部を終了した後、後行行為者が関与する形態の共犯で、共同実行の意思をもって実行に参加する場合をいう。後行行為者に、関与以前の先行行為者の行為（ないしそれに基づく結果）について責任を問うか否かが争点である。共同正犯が成立するといえるためには、途中から犯行に関与した場合でも、先行行為も含めた全体について「自己の犯罪」として関与したといえなければならない。

> 　まず、「加担前に**既に生じさせていた傷害結果については、Ｘの共謀及びそれに基づく行為がこれと因果関係を有することはないから**、傷害罪の共同正犯としての責任を負うことはな」い（最決平24・11・6刑集66・11・1281）。参加時に傷害を認識したとしても、やはり既に生じて

しまった傷害の責任を問われることはない。関与前に被害者に既に傷害結果が生じており、そのことを知らないで強盗・強制性交等の途中から関与した者に、強盗傷人罪・強制性交等致傷罪の重い罪責を負わせることはできない。それゆえ、参加後に発生したか、それ以前に既に生じていたか不明の場合には、やはり、強盗・強制性交等致傷罪とはならない。

　これに対し、殺人罪や詐欺・恐喝罪等への実行行為の行われている途中からの関与については、実行行為の一部に共同して関与しており承継を認めざるを得ない。監禁罪の途中からの関与者にも承継的共同正犯が成立する。

　強盗罪・強制性交等罪のような結合犯の場合、詐欺・恐喝罪と異なり、暴行・脅迫行為と財物奪取・姦淫等行為をそれぞれ別個に処罰が可能である。しかし判例は、後から財物奪取・姦淫等行為のみに関与した者を強盗罪・強制性交等罪の承継的共同正犯としている。**自己の犯罪遂行の手段として積極的に利用した**という点が重視されているといえよう。

　共同正犯からの離脱は、犯行の意思の連絡があったが、一方が途中で関与を中断した場合、関与中断後の事象についても帰責は免れないのであろうかという問題で、共同正犯関係（共謀）から**離脱**したといえるか、共同正犯関係が**解消**したといえるかという形で論じられる。「**共謀の射定がどこまで及ぶか**」という形で論じられることも多い。

　共同の犯行の**着手前の離脱**の可否については、一般に、他の共犯者の**離脱の了承の有無**が基準とされ、他方、実行に**着手後**の場合は、その後に**犯罪が遂行される恐れ**を消滅させなければ、犯罪全体に対して共犯から離脱したとはいえないとされることが多かったが、必ずしもそのように形式的に分けて考えることはできない。

　たしかに、正犯者（共同正犯者）が実行行為に着手する前に離脱した場合、着手後まで関与した場合に比して、与えた影響力は相対的に小さく、正犯者Ｘの実行の着手や結果発生と因果性が切断され、Ｙが未遂や既遂を免れる場合が比較的考えられる。ただ、離脱者が

Ⅲ　刑法理論　　*77*

関与時に情報や道具を提供したような場合には、単に離脱の了承を得ただけでは、**共謀関係が解消した**とはいえない場合がある。ただ、正犯者らが独自に、**新たに犯行に及んだ**と評価できれば、離脱を認め得る。

　既に実行行為が開始された後に一部の関与者が離脱し、それ以降発生する事象が帰責されなくなるためには、他の関与者の了解を得た離脱では不十分で、**結果防止の為の積極的行為により、因果性を遮断することが必要**であるとされてきた。しかし、重要なのは、意思の連絡（共謀）の影響が、関与を中断した以降の事象に及んでいるのか、逆にいえば、**共謀とは無関係に新たに犯行に及んだ**といえるかという点である。

> 　刑法207条は、同時犯として暴行を加え傷害の結果が生じた場合に、相互に意思の連絡を欠いても共同正犯として扱い、暴行を加えた全員が発生した傷害について責任を負うと定めている。因果性が立証できなくても、同一機会に行われた場合、共同正犯として帰責される。最決平28・3・24（刑集70・3・1）は、「刑法207条は、重い結果について、責任を負うべき者がいなくなる不都合を回避するための特例である」とする見解を否定し、「同一の機会に行われたものであること」の証明がされた場合、「各行為者は、自己の関与した暴行がその傷害を生じさせていないことを立証しない限り、傷害についての責任を免れない」と判示した。ＸＹが第1暴行を加え、Ｘが単独で第2暴行を加えた場合、Ｘに傷害罪が成立するのはもとより、Ｙにも傷害罪が成立する。

⑹　犯罪理論体系の意味と役割

　理論から処罰範囲が一方的に演繹される時代は終わった。例えば、教唆は「犯罪」をそそのかしたといえなければならない以上、正犯者（＝実行行為を行う者）が実行を開始したこと、すなわち、着手に至ることが必須であり、共犯従属性が「理論的に正しい」という、一世を風靡した説明は、説得力がなくなってきている。「共犯の成

立には正犯者が実行に着手したことが必要」だとすると、予備は実行着手前の問題であるから、予備についての共犯処罰は論理的にあり得ないことになるが、予備に対する共犯も認める必要性が意識されるようになった。もっといえば、共犯従属性説を採用していたイギリスが、共犯独立性説を採用した法を作ったが、それは「理論的に誤り」なのであろうか。

　間接正犯の着手時期についても、間接正犯は正犯であるから、実行行為は間接「正犯者」が行わなければならないという見解が有力であった。幼児に盗んでこいと命じた「正犯」の行為の中に着手時期を捜すことになる。しかし、被教唆者が実行行為の一部を開始したところまで待たねば処罰されないのに、間接正犯の場合には、それより早い時点、つまり、教唆に相当する利用行為開始時点で常に処罰することには批判が強くなってきていたのである。利用者を処罰する実質的事情が必要なのだということになったのである。

　結論が大事だといっても、場当たり的な感情論で有罪無罪を決める訳にはいかない。安定的解決をもたらす体系論は、特に刑法の場合には必要である。結論を説得的なものとするためにも理論は必要である。しかし、「まず正しい犯罪理論を探求し、それをただただ演繹していけば全ての問題は解決される」と考えてはいけない。少なくとも実務家が、「答えが分からないので、問題に対応する学説の理論を捜して、結論を導き出す」と考えるべきではない。実務家にとって最も重要なのは、その具体的事案について妥当な結論を自ら導ける能力なのである。

8 刑法各論の重要論点

⑴ どのような行為を犯罪とするかは、常に変化していく

　犯罪とは、「正しい内容が本質的に決まっている」というものではなく、結局は、「国民が刑罰を用いてでも禁圧すべき行為」といってよい。もちろん、国民が決めるとは、その代表が「法律で定める」ということを意味する。

　刑法典は明治に定められて以来、その基本は維持されてきたが、その具体的内容は、第二次世界大戦後の日本国憲法への改正に基因する刑改正（不敬罪や姦通罪の削除や、表現活動に留意した名誉毀損罪の改正）に加え、かなりの改正が加えられてきている。その最大の領域は、賄賂罪と性犯罪である。

　賄賂罪規定は、既に第二次世界大戦前から法改正が加えられた。昭和16年に197条が書き改められ、受託収賄罪（197条1項後段）や事前収賄罪（197条2項）が加えられ、さらに第三者供賄罪、加重収賄罪、事後収賄罪なども新設され、没収・追徴規定も設けられた。国民の指摘に応えるものであったが、法改正は、常に「慎重」で、さらに処罰を拡げる必要が残ったのである。昭和33年にはあっせん収賄罪（197条の4）が新設された。さらに昭和55年には、ロッキード事件による公務員に対する国民の指弾を投影して、賄賂罪の法定刑の引き上げ等が行われた。

⑵ 交通事故関連犯罪の変化

　国民の規範意識による法定刑の変化という意味では、交通死亡事故についての刑法上の責任も、大きく変化してきた。過失致死罪に関する刑法210条は、死の結果を生ぜしめたにもかかわらず罰金し

80

か定められていなかったため、交通事故の致死事案は、3年以上の懲役刑を定めた業務上過失致死罪（211条）で処理されることになっていくが、その過程で「業務上」による限定は、ほとんど無意味なものとなっていく。そして、昭和43年に、211条の法定刑の上限が5年の懲役・禁錮に引き上げられ、しばらく交通事故死者の減少が見られたが、再び増加に転じ、平成18年に罰金の上限が100万円に引き上げられ、さらに、平成19年からは、自動車運転過失致死傷罪が新設され（旧211条2項）、業務上過失致死傷罪より重い法定刑が規定された。

　そして悪質な、当罰性の高い交通関連死亡事故事案の発生が絶えないため、故意の危険運転行為により意図しない人の死傷の結果が生じたときに成立する結果的加重犯に類する犯罪類型として、危険運転致死傷罪が、平成13年12月から刑法208条の2として施行されてきた。そして、平成25年に、刑法典の外に自動車運転処罰法が新設され、過失交通事犯と危険運転の罪が併せて規定された。そして、それ以外に、長い時間をかけて道路交通法等の関連法規が整備され、行政的取締りも含めて、有効な交通事犯への対応が目指されているのである。

⑶　性犯罪の法改正

　刑法典は、強制わいせつ罪と強制性交等（強姦）罪という被害者個人の法益を侵す犯罪と、公然わいせつ罪、わいせつ物頒布罪という、いわば、健全な性的風俗という社会的法益に対する罪をまとめて規定している。「わいせつ」という概念は共通しており、そしてその内実が社会の変化に伴って大きく転換してきていることも疑いないが、特に最近の法改正という意味では強制わいせつ罪（176条）と強制性交等罪（177条）が重要である。

　被害女性の視点から、平成16年の刑法改正（平成17年施行）によ

り、強姦罪及び強姦致死傷罪の法定刑の下限が2年から3年、3年から5年に、それぞれ引き上げられ、第178条の2として集団強姦罪（4年以上の有期懲役）、181条3項に集団強姦致死傷等の罪（6年以上、無期懲役）が新設された。

さらに平成29年改正では、強姦罪の下限が3年から5年に、死傷罪の法定刑の下限が5年から6年に引き上げられた（それに伴って、集団強姦罪、集団強姦致死傷罪は、新しい法定刑の中で評価し得るものとして、廃止された。）。また、18歳未満の者に対し、その者を現に監護するものであることによる影響力があることに乗じて、わいせつな行為又は性交等をした場合を強制わいせつ罪又は強制性交等罪と同様に処罰する監護者わいせつ罪及び監護者性交等罪が新設された。そして、強姦罪、準強姦罪、強制わいせつ罪及び準強制わいせつ罪を非親告罪とし、併せて、わいせつ目的又は結婚目的の略取・誘拐罪等も非親告罪とされた。

これらの男女共同参画の流れを踏まえた被害者保護の要請に対応する改正に加えて、諸外国の動向を踏まえて、「女子に対する姦淫」のみを意味した「強姦」の概念を棄て、被害者の性別を問わない「強制性交等罪」に変更し、性交のほか、肛門性交及び口腔性交も実行行為とすることになった。

そして、性犯罪へのより厳しい対応の要請が強いことから、今後も刑法改正が予想される。

⑷　社会の複雑化と財産犯の本質論

刑法各論の領域で、最も重要な対立点は、刑法犯の大半を占める「財産犯」の本質をどのように理解するかにあったといってよい。もともとは、刑法242条の解釈問題であった。「自己の財物であっても、他人が占有」しているときは、他人の財物とみなすという規定である。この**占有**には、全ての所持が含まれるとする説を**所持説**と

呼ぶ。賃借権等の本権に基づいて占有している場合に限るとする立場を**本権説**と呼ぶ。本権説は、窃盗罪や強盗罪の犯罪の客体は、「他人の所持する財物」ではなく「他人の財物」と規定されており、「他人の所有権」を保護する。所有権者以外を保護する242条は例外にすぎないとし、占有していても、少なくとも「何らかの法的権原」がある場合に限られるとするのである。これに対し、所持説は、242条を素直に読めば、他人の占有するもの一般を含んでいると主張する。「占有」は、通常権原に基づくので、両説の差は被害者の所持に法的根拠が存しない例外的な場合に生じる。例えば、他人の財物を窃取した者の所持を侵した場合、本権説では無罪となり、所持説では有罪となる。

　刑法上の財産犯の議論は、基本的には、財産関係に関する民法上の判断に依拠すべきであろう。ただ、法領域ごとにその目的が異なり、「処罰に値するか否か」を中心とした刑法独自の考慮が働かざるを得ないことも否定できない。その意味で、民法上の財産的利益のみを保護すれば足りるとする考えも含む**本権説**を徹底すると、占有の法的権原を欠く**禁制品**は、保護しなくてよいということになり、また、**不法原因給付物**は、給付者が返還請求し得ないわけで、それを奪取する行為は、民法的権原のない場合の奪取の一種となってしまう。さらには「窃盗犯人が占有していた者から、その財物を奪っても、財産犯は成立しない」処罰範囲を限定することになる。**所持説**は、「泥棒でも、一旦占有した財物が奪われれば、窃盗罪で保護すべき」ということになる。

　学説の中には、資本主義が高度化し、社会が複雑化する以上、「ひとまず、現に存在する占有状態を保護しておく必要がある」ということになり、結局は所持説の方向に議論は展開せざるを得ないという主張が有力であった。

　しかし、資本主義が定着し高度化した20世紀以降、多くの国々で、

本権説的考え方と所持説的な考え方が、入れ替わり登場してくる。少なくとも、単純に所持説化してきているわけではないのである。

　日本についてみても、考え方の変化は、複雑なのである。明治期に所持説だった判例は、大正期に入ると本権説を採用するようになる。大判大7・9・25（刑録24・1219）は、担保に供することが禁じられている恩給年金証書を債権者に担保として渡し、それを債権者から騙取した事案に関し、「242条は占有者が適法にその占有権をもって所有者に対抗し得る場合に限る」として詐欺罪の成立を否定したのである。

　しかし、第二次世界大戦後、最高裁は、財産犯においては「社会の法的秩序を維持する必要からして、物の所持という事実上の状態それ自体が独立の法益として保護せられ」るべきであるとして所持説に移行する（最判昭24・2・15刑集3・2・175）。そして、最判昭34・8・28（刑集13・10・2906）は大正7年の本権説判決とほぼ同じ事案について詐欺罪の成立を認め、最判昭35・4・26（刑集14・6・748）が窃盗罪に関しても所持説を採用して有罪を認めた。

　もっとも、その後判例は、同種の事案に関して無罪を認めるようになる。ただ、不可罰の根拠が、「本権に基づく所持ではない」というのではなく、「取り戻すのが正当な権利行使である」とされている点に注意を要する。かつての議論は被害者Aの占有の根拠、すなわち権原の有無のみで処罰の可否を決定してきたが、近時の判例では、行為者（奪取者）の側の事情、すなわち奪取行為を行う根拠、態様、必要性を加味して実質的違法性の有無を判断する。特に、最決平1・7・7（刑集43・7・607）が、242条の解釈に関しては所持説を堅持することを明示した上で、「事実上の占有については絞りをかけず、違法阻却の面から妥当な結論を導こうと」した点が注目される（香城敏麿・『最高裁判解（刑）平成元年度』227頁）。

⑸ 最近の詐欺罪処罰の拡大

　窃盗罪や強盗罪が最近著しく減少しているのに対し、詐欺罪は、少なくとも、「振り込め詐欺」「オレオレ詐欺」以降の被害額は、なお甚大なものがある。

　詐欺とは、人を欺罔して財物を交付させ、その占有を取得し、ないしは財産上の利益を得る行為である。そこで、詐欺罪解釈においては、この4つのメルクマールの吟味と、その相互の因果関係が重要だとされてきた。ドイツの影響で、これに加えて**損害**を重視する見解が多いが、日本の詐欺罪にはそのような要件は明示されてはいない。

　刑法246条の実行行為である**欺罔行為**は、相手方がその点に錯誤がなければ財産的処分をしなかったであろうような**重要な事実を偽る行為**である。言語による場合に限らず、挙動さらには不作為による場合を含む。

　ここで、注目すべきなのは、近時、判例が欺罔行為概念を緩やかに捉えて、財産的損害がなくても、詐欺罪を処罰する傾向を強めている点である。治安状況が好転した後でも、その傾向は変わっていないように思われる。そして、詐欺罪の故意についても、犯罪状況の合わせた判例の変化が見られる。

損害と欺罔行為　　第二次世界大戦前の判例には、**医師であると偽り適切な薬を販売した事案に関し、詐欺罪の成立を否定したものがあった**（大決昭3・12・21刑集7・772）。戦後前半期の下級審にも、偽造した医師の証明書を行使して劇薬等を入手することは、何ら個人的財産上の法益を害するものではないから、詐欺罪を構成しないとしたものも見られた（東京地判昭37・11・29判タ140・117）。

　近時の判例は、他人になりすまして預金口座を開設し他人名義の預金通帳の交付を受けても詐欺罪を構成するとし（最決平14・10・21

Ⅲ　刑法理論　***85***

刑集56・8・670)、預金通帳等を**第三者に譲渡する意図や暴力団員で
あることを秘して自己名義の預金通帳・カード等の交付を受けても
詐欺罪の成立を認めた**（最決平19・7・17刑集61・5・521、最決平26・
4・7刑集68・4・715)。正規の代金を支払って、**第三者を搭乗させ
る意図を秘して自己に対する搭乗券の交付を請求する行為**（最決平
22・7・29刑集64・5・829）、**暴力団排除を明示しているのに組員で
あることを秘してゴルフ場でプレーする行為も詐欺罪を構成する**（最
決平26・3・28刑集68・3・646)。判例が損害を不要としていると断じ
る必要はないが、最近は、損害の有無はほとんど検討されず「重要
な事項」の解釈により、詐欺罪の限界が画されている。

> 最決平15・3・12（刑集57・3・322）は、自己の口座に**誤振込み**された
> 預金の払い戻し行為について、銀行実務上振込依頼人の申出に応じた
> **組戻し手続**が執られており、被告人に民事上の権利があろうとも、「銀
> 行にとって、払戻請求を受けた預金が誤った振込みによるものか否か
> は、直ちにその**支払に応ずるか否かを決する上で重要な事柄**である」
> とし、受取人には誤った振込みがあった旨を銀行に告知すべき**信義則
> 上の義務**があり、誤振込金額相当分を最終的に自己のものとすべき実
> 質的な権利はないとして、「**誤った振込みがあることを知った受取人が、
> その情を秘して預金の払戻しを請求することは、詐欺罪の欺罔行為に
> 当た**」るとした。自己の口座の金銭を引き出したにもかかわらず財産
> 侵害を認めたのも、所説的であるということより、詐欺罪の処罰範
> 囲の影響が見られるように思われる。

第三者への**無断譲渡の意図**を秘して自己名義で携帯電話機の購入
等を申し込む行為は、交付される携帯電話機を自ら利用するように
装うものとして、欺罔行為に当たるとされた（東京高判平24・12・13
高刑集65・2・21)。氏名不詳者らと共謀の上開設した預金口座に、
詐欺等の犯罪行為により現金が振り込まれており、それと知って払
戻しする行為は、「犯罪利用預金口座等に係る資金による被害回復
分配金の支払等に関する法律」により、当該口座が犯罪行為に利用

されていることを知った以上銀行に告知すべき信義則上の義務があり、そのような事実を秘して預金の払戻しを受ける権限はないと解すべきであるとし、預金の払戻しを受ける正当な権限があるように装って預金の払戻しを請求することは欺罔行為に当たり、詐欺罪が成立するとした（**東京高判平25・9・4** 判時2218・134）。これらの判例も、特殊詐欺罪の被害額が膨大なものとなっているということと無関係ではないように思われる。

　そして、欺罔行為の開始時期（詐欺罪の着手時期）についても、**最判平30・3・22**（刑集72・1・82）は、警察官になりすまし、特殊詐欺被害者Aに電話をかけ、現金の交付を受けやすくするため「銀行に行って全部下ろした方がいい」と言って預金の払戻しをさせた行為について、被害者が**現金を交付する危険性を著しく高めるもの**で、欺く行為に当たり詐欺罪の実行の着手が認められるとした。原審が、①欺く行為とは、財物の交付に向けて人を錯誤に陥らせる行為であり、②警察官を装って預金を現金化するよう説得する行為は、Aに対し現金の交付まで求めるものではないので、欺く行為とはいえず、③詐欺被害の現実的、具体的な危険を発生させる行為とはいえない」とした結論を覆し、詐欺罪の未遂の成立を認めた。既に詐欺被害に遭っていた者に対して現金を交付させる**計画の一環**として、「『預金を現金化して自宅に置く』よう、警察官を装い指示する行為」は、交付を直接要求するものではなくとも、被害者が現金を**交付する危険性を著しく高めるもの**で、**欺く行為に当たり詐欺罪の実行の着手が認められる。**」としたのである。

　特殊詐欺事犯の多発化は、詐欺罪の故意の認定についても変化をもたらした。最判平30・12・11（刑集72・6・672）、最判平30・12・14（刑集72・6・737）、最判令1・9・27（刑集73・4・47）等が、詐欺罪の故意の存在を否定した控訴審判決を、相次いで覆した。例えば、最判平30・12・11は、1か月間に約20回も異なるマンションの空室で、

Ⅲ　刑法理論　　*87*

異なる他人になりすまして荷物を受け取っていた事実に関し、運んだのは詐取金でなく違法薬物や拳銃であると認識していたと弁解した事案で、原審判決は、「同様の形態の受領行為を繰り返していただけでは、受け取った荷物の中身が詐取金である可能性を認識していたと推認する根拠にはなら」ないとしたのに対し、最高裁は、**詐欺に当たる可能性を認識していたことを強く推認させる事情**があれば、**詐欺の可能性の認識が排除されたことをうかがわせる事情**がない限り故意は認められるとした。第一審段階から、他人になりすまして現金を詐取する詐欺事犯が広く報道されていたことが指摘されており、荷物を受け取ることによる犯罪行為の中に詐欺も含まれているかもしれないことを十分認識していたと推認できるといえよう。

　強盗罪においても、2項強盗罪の客体、すなわち財産上の利益は、実質的に理解されている。強盗の場合も、財産上不法の利益を得るとは、「不法な利益」を得ることではなく、**不法に利益を得ること**を意味する。典型的には、債権者に暴行・脅迫を加え支払い請求を不能として金銭債務の支払いを免れ（最判昭32・9・13刑集11・9・2263）、債権証書を認めさせ（朝鮮高等法院大3・8・13朝高録2・248）、自動車運賃の支払いを免れ（大判昭6・5・8刑集10・205、名古屋高判昭35・12・26高刑集13・10・781）、飲食代金の支払いを免れ（大阪地判昭57・7・9判時1083・158）、山林の伐採を承諾させる（東京高判昭37・8・7東高刑時報13・8・207）行為等が挙げられる。

　それでは、奪ったキャッシュカードの暗証番号を脅して聞き出す行為は、強盗となるのであろうか。たしかに、包丁をAに突きつけながら、「暗証番号を教えろ」といって答えなかったので殺害した場合を、単純な殺人と評価することには違和感が残る。そこで、東京高判平21・11・16（判時2103・158）は、暗証番号を聞き出した場合、犯人は、現金自動預払機（ATM）の操作により、迅速かつ確実に、Aの預貯金口座から預貯金の払戻しを受けることができるようになるので、「事実上、ATMを通して当該預貯金口座から預貯金の払戻しを受け得る地位という財産上の利益を得た」と構成したのである。

88

⑹　サイバーと犯罪

　現代社会を最も象徴するのは、サイバー社会である。コンピュータ・サイバーの領域の刑事法的対応は、常に「後追い」であった。昭和62年に、コンピュータ犯罪が刑法典に規定された。電子計算機損壊等業務妨害罪、電子計算機使用詐欺罪、電磁的記録不正作出・供用罪、電磁的記録不実記載等である。

　平成7、8年頃、それまでの「パソコン通信」の世界から、インターネットの世界に転換する。そのような中で、刑事司法が対応せざるをえなかったのが、「わいせつ画像」問題であった。しかし、次第に問題となる事案が拡大していく。

　平成13年11月8日、欧州評議会において、「サイバー犯罪に関する条約」が採択され、日本もその締結に向けた法整備を行うことが要請された。日本の立法作業は著しく遅滞し、平成23年6月に、168条の2等の不正指令電磁的記録に関する罪が新設された。

　そのような中で、平成15年頃、「インターネット犯罪」という概念が日本でも確立する。情報通信ネットワークの機能を阻害する刑罰法規に触れる行為と情報通信ネットワークを手段として用いる犯罪の総称である。不正アクセス禁止法も成立する。そして、警察庁に総合セキュリティ対策会議が設置された。ただ、そこでも、対象犯罪の中心は、インターネット利用のわいせつ図画公然陳列・販売罪、名誉毀損罪、詐欺罪であった。

　しかし、現在、ネット犯罪の様相は、大きく変容した。様々なネット攻撃が国民生活を脅かしだしたからである。利用者の意思に反して情報を取得する「標的型攻撃」や、ネットの利用を大きく阻害するＤｏＳ攻撃等の存在が認識され、さらにそのような「犯罪行為」に、外国の政府が関与していることも明らかになった。

　政府はデジタル庁を設置するとともに、令和3年9月の「サイバー

Ⅲ　刑法理論　**89**

セキュリティ基本戦略」において、**公共空間化したサイバー領域**の安心安全の確保を宣言した。そして、令和4年4月、警察庁にサイバー警察局が新設された。今後も、サイバーセキュリティの、国民の安心・安全にとっての重要性は高まっていく。これまでは、サイバー攻撃・犯罪の被害に遭わないようにするためのシステム設計や対応措置が重視されてきたが、明白な犯罪行為に対しては、被疑者を特定し刑罰を科していく必要がある。

最判令和4・1・20（裁判所web）：音楽ウェブサイトを閲覧した者の電子計算機が自動的に一定の作業を行うプログラムを読み込み、勝手に演算を行ってしまうようシステムを設定した事案（コインハイブ事件）で、同プログラムが、刑法168条の2第1項にいう「意図に反する動作をさせるべき不正な指令を与える電磁的記録」に当たるかが争われた。最高裁は、同意を欠くことや消費電力・ＣＰＵの使用率の微少性が、社会的に受容されている広告表示プログラムと大差なく、社会的に許容し得る範囲内であるとして、「不正な指令」とはいえないとした。

しかし、閲覧者に電子計算機が勝手に使用されていることを知る機会を欠く本件プログラムと、広告プログラムとは全く異なる。サイバー世界では、利用者の同意なしにコンピュータ操作を実行させることが不当であるという評価は定着している。また、本罪の保護法益は、『電子計算機プログラムに対する社会一般の信頼』であり、他人のパソコンを乗っ取って行うサイバー攻撃の重大性が問題とされる中で、「乗っ取っても、一台当たりの侵害は軽微で、社会的に許容し得る」とするのは、説得性を欠くように思われる。

Ⅳ 刑事訴訟法理論

1 刑事手続の現状

(1) 犯罪の認知と送致

　日本における刑法犯の認知件数は、交通事件を除くと61万4,231件（2020年）である（特別刑法犯については認知件数を集計していない。送致件数は、交通関係法令を除くと7万2,913件であり、これを「検挙件数」に相当するものとして扱っている）。最も多かった年の認知件数が285万3,769件（2002年）なので、20年弱で5分の1近くに減少したことになる。

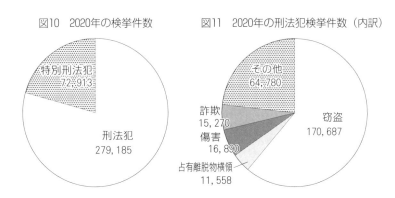

　認知とは、警察や検察が、被害届や通報などにより犯罪が発生したと分かることである。ただ実際の発生件数に関しては、約10倍の「暗数」が存在すると推定する学説もある。
　警察における捜査において重要なのは、証拠の収集と被疑者（犯

人）の身柄確保である。多くの事件は、検挙した後も逮捕することなく在宅で取調べを行う。身柄確保手段としての逮捕には、現行犯逮捕（刑訴法213条）と通常逮捕（刑訴法199条）と緊急逮捕（刑訴法210条）の3種が存在する。刑法犯検挙者のうち、逮捕されるのは3分の1（34.6％：2020年）である。

　逮捕した場合、被疑者に犯罪事実、弁護人選任権、黙秘権が告げられ、弁解の機会が与えられる。そこで必要性があると認められると、検察に送るまで最大48時間の留置が認められる。留置とは、警察段階での短い身柄の拘束で、警察署内の留置施設に置く。

⑵　簡易送致と不起訴

　ここで注意しておかねばならないのは、日本の刑事司法システムにおいては、警察で犯罪として対応する事案のごく一部のみが正式に裁判で取り扱われ、有罪判決が言渡されて正式な「犯罪者」とされることになる。しかし、警察で認知されたもののうち、検挙され、検察に送られ、起訴されて、通常の（略式ではない）裁判にかけられる人員は、わずか7.5％にすぎないのである。警察段階では、窃盗罪等特定の犯罪に限定されているが、軽微な犯罪行為が微罪処分・少年簡易送致として、処罰の対象から除外される。検察段階では不起訴という形で、殺人などの重要犯罪も含め多くの犯罪行為が刑事システムからふるい落とされていく。

　警察から検察へは、全ての事件が送られる建前であるが（全件送致）、実際にはその例外が認められている。それが、微罪処分と少年簡易送致である。微罪処分とは、刑事訴訟法246条ただし書（そして、それを受けた犯罪捜査規範195条）によるもので、各検事正がその地方検察庁の管轄区域内の司法警察員に対して指定した成人の事件については、検察官に対する送致の手続を取らなくてよいとする制度である。この微罪処分については、司法警察員が警察限り

で最終処分を行うことができることになる。令和2年には、刑法犯総検挙人員（業務上過失致死傷罪を除く）中の28.5％について認められた。

　窃盗などの財産犯に関しては、①被害額が僅少なもの、②犯情が極めて軽微なもの、③盗品の返還等、被害が回復され被害者が処罰を希望しないもの、④素行不良でない者の偶発的犯行で再犯のおそれがないものという条件が付され、賭博罪に関しては、①賭けた財物が僅少なもの、②犯情が軽微なもの、③共犯者の全てについて再犯のおそれがないものという条件が付されている地検が多い。

　現在、微罪処分が行われている具体的罪名は、窃盗罪、詐欺罪、横領罪、占有離脱物横領罪、盗品等の罪、賭博罪、傷害罪、暴行罪である（ただ、ほとんどの地検では、傷害罪と暴行罪は除外されている）。そして、圧倒的に窃盗罪と占有離脱物横領罪に集中したが、暴行罪なども加わった。

⑶　捜査の端緒

　我が国の犯罪のほとんど全ては、まず、**警察**で取り扱われるといってよい。我が国の第一次的な犯罪捜査機関は警察なのである。**捜査**とは、犯罪を見つけ出し被疑者を特定して、その者について裁判を提起するための準備作業と考えられてきた。ただ、捜査活動自体が犯罪の予防・鎮圧、犯人の更生、平穏な社会生活の維持などの機能を有していることに留意する必要がある。訴訟手続の流れとしては、①証拠を確保し、②裁判において被告人になる被疑者を捜し出して確保することが中心だといってよい。捜査機関が捜査を開始するきっかけを**捜査の端緒**という。最も多いのは被害者の届出である。この他に、取調べ、職務質問、告訴・告発等がある。

　警察官職務執行法2条による**職務質問**は、犯罪捜査自体ではないが、それによって犯罪が発覚することも多いので、捜査の端緒として重要なものである。不審者が呼び止めに応じないで逃げ出したよ

Ⅳ　刑事訴訟法理論　　*93*

うな場合、捜査の端緒として実効性のあるものとするため、職務質問にも一定の範囲内で有形力の行使が認められる。「身柄拘束に至らない程度の一時的拘束」は許される。そして、重大な犯罪であったり、嫌疑が濃厚で、しかも必要性が高いときには、それを超えた物理力の行使が許されることもある。

⑷ 送検と起訴

　刑法犯検挙人員（交通関連事件を除く）は約18万3,000人で、うち12万7,000人が検察庁に送られ、5万5,000人余りが微罪処分や少年簡易送致により、警察段階で事実上放免される（令和2年）。

　被疑者（犯人）の身柄を拘束している場合、検察官は24時間（初めから数えて72時間）以内に勾留するか起訴するか釈放するかしなければならない。勾留とは10日間の自由の拘束である。拘置所に置くが、留置施設を代用することも認められている。やむを得ない事情があれば10日の延長が可能である（刑訴法208条）。

　このように勾留は、逮捕に比較して大変長期の身柄拘束なので、裁判所が公開の法廷で勾留の理由を説明し被疑者はそれに対し意見を述べることができる勾留理由開示を要求できる。裁判所は、勾留しなければならない必要性（**罪証隠滅・逃亡のおそれ**）を中心に慎重に審査してきた。ただ、データ的には、被疑者が犯罪事実を認めない事案のほとんどが勾留されていた。捜査機関は、事実上、最大で23日間の身柄拘束が可能であった。しかし、最近は後述のように、勾留請求が却下される割合が約10倍以上に上昇した。ここに、治安状況の変化が捜査に与える影響の典型が見て取れる（→17頁）。

　検察官は捜査を終了すると、起訴するか、不起訴とするかの選別を行う（少年事件については、家裁に送致する）。被疑者が犯罪を犯したという証拠が十分にあり、被疑者を処罰する必要があると考えたときは、裁判所に起訴する（起訴されると、被疑者は、「被告

図12　凶悪犯起訴率の急落

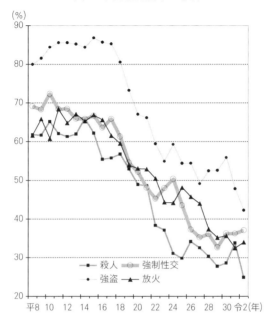

人」と呼ばれるようになる)。一方、被疑者が犯罪を犯したという証拠が十分でない場合や、証拠は十分でも被疑者を処罰するまでの必要がない場合には、検察官は、不起訴にする（起訴便宜主義)。捜査の結果、被疑者が犯罪を犯したという証拠が十分でないときは、「嫌疑不十分」といい、被疑者が犯人でないことが明らかなときなどは、「嫌疑なし」と呼ばれる。さらに、被疑者が犯罪を犯したという証拠は十分だけれども、被疑者を処罰するよりも、社会復帰・更生の機会を与えた方がよいと考えられるときは、起訴しないことができる。これを**起訴猶予**という。起訴猶予にするかどうかを判断する際には、被疑者の性格、年齢や境遇、犯罪が軽いものか重いものか、犯罪の情状、犯罪後の情況を考慮する。不起訴には、このほかにも、時効が完成した場合や責任能力が欠ける場合などがある。

　検察官の選択の幅は大変広く、交通事故を除く刑法犯の起訴率は、

約40%にすぎないのである（交通事犯を含めると約2割である）。
「公判を維持する見込み」、すなわち有罪の判決を得る見込みのない
事件は起訴され得ていない。その結果、起訴されればほとんど全て
有罪となるのである。特に最近の起訴率の低さが目立つ。

　このように、検察官の選択の幅は大きく、特に起訴するか否かの
決定は被疑者にとって非常に重要で、これをチェックするための検
察審査会や付審判請求手続（準起訴手続）が設けられている。

　検察官は、捜査権限の他に、被疑者を裁判にかける（公訴提起）
権限、公判で証拠を提出し、事実・法律につき意見を述べる権限、
刑の執行の指揮をする権限を持っている。

<u>2</u>　日本の刑事訴訟の考え方の基礎

(1)　欧米法制の採用と日本の独自性

　戦後の我が国の刑事訴訟法学においては、刑事訴訟とは、「国家
権力（刑事司法）から、被疑者・被告人を守るためのもの」と考え
られてきた面がある。「憲法は、国民を護るために国家権力を規制・
監視するために存在する」という発想と同一の源を有する発想であ
る。たしかに、日本の法は、刑事法のみならず、明治初期に欧米の
法制度を輸入したものであった。その結果、近代の立憲主義的な法
思想に強く影響されてきた。

　江戸時代まで、中国の律令に影響されながらも独自の刑事訴訟手
続を実施してきたが、明治維新以後、西欧の列強諸国に対応してい
くため、西欧型の法制度の輸入が急がれた。明治13年（1880年）に
は、ナポレオン法典に倣った治罪法が、初めて、体系的、包括的な
形で近代的な刑事訴訟を規定した（明治23年に、改正され刑事訴訟
法が制定された）。しかしその後、天皇制を有する我が国としては、

96

共和制のフランスより、立憲君主国ドイツに学ぶべきだとされ、大正11年（1922年）には、ドイツ刑事訴訟法の影響を受けた刑事訴訟法（旧刑訴という）が制定された。戦前の刑事手続の基本は職権主義（→98頁）であり、「警察官が被疑者を取り調べ、次の段階で事件を検察官に引き渡し、さらに次の段階で裁判官に引き渡す。常に国家権力が被告人を取り調べるという関係にある」というものであったといってよい。捜査の主体と裁判の主体がつながっていたのである。その象徴は、低いところに被告人が座り、高い壇上に検察官と裁判官が同じように黒い法服を着て並んで座っていた法廷の構造に示されている。検察官と裁判官は同じ司法省の役人であった。

　第二次世界大戦後、憲法の変更に伴い、刑事訴訟法の改正が要請された。その結果、アメリカの強い影響の下に、現行刑事訴訟法が制定された（昭和23年）。その結果、「検察官と被告人が対等に相争って、それを裁判官が裁くべきであり、裁判官は予断を持ってはならない」という考え方が導入された（当事者主義→98頁）。そして、刑事手続の多くが憲法に規定され（憲法31ないし40条）、戦後の刑事訴訟法学においては、憲法解釈が重視されることとなった。

　ただ、現行刑事訴訟法は、その実務の運用をも含めて考えれば、明治以来の大陸法系の運用の上に、アメリカ法系の諸原理を取り込んだものであることを忘れてはならない。戦後の「英米法化」は、基本的には定着してきたものの、実務の経験・運用や新しい問題状況の発生を踏まえ、大陸法的な思考や「日本的」解釈をも産んできているのである。

　日本の刑事司法の特徴として、①捜査機関に、具体的妥当性を加味した広い裁量を許す起訴便宜主義（→95頁）を挙げなければならない。戦前の日本が「手本」としたドイツは、「法的に明確に決めて厳格に運用する」という志向が強く、起訴法定主義が採用されてきたのである。②その結果、起訴された被告人は99％以上が有罪に

なるという、一見すると「緻密で精密な刑事司法」が展開されることになった。これに対し、戦後に日本の刑事訴訟に圧倒的な影響を与えたアメリカは、かなり徹底した当事者主義を採用し、刑事訴訟も当事者の力で勝ち負けが決まる「ゲーム」のように考える傾向がある。民事裁判と刑事裁判の距離が近いのである。③ただ、被疑者・被告人と捜査官との間での「取引」を認めるような、アメリカの「ラフ」なシステムは、日本人にはなじめない部分がある。日本では、日本人の意識に合致した、公正で合理的な刑事訴訟が探求されなければならず、真相の究明と適正手続の、現代日本社会における調和点の探求が必要である。

⑵　当事者主義と職権主義

　現行刑事訴訟法は、「刑事事件につき、公共の福祉の維持と個人の基本的人権の保障とを全うしつつ、事案の真相を明らかにし、刑罰法令を適正且つ迅速に適用実現することを目的とする」（１条）と定めている。そこには、①迅速な真相の究明と適切な処罰の要請と、②被疑者・被告人の利益を守るための適正な手続の保障という要請が規定されているといってよい。決して、被疑者・被告人の人権さえ護ればよいとしているわけではない。国民のために、真相解明と犯罪者の処罰が要請されているのである。しかし、同時に、真相解明のために、被疑者・被告人という国民の人権が害されてはならない。事件解決・迅速な処罰は、適正な手続にのっとって行われなければならないのである。

　この２つの要請は**職権主義**と**当事者主義**という概念と結びつけて論じられることが多い。職権主義とは、刑事訴訟全体を、裁判所（検察官も含む）と被告人の二者からなる構造で捉え、裁く国家機関の側と裁かれる被告人は「上下」の関係にあるという発想である。これに対し、当事者主義とは、刑事裁判を裁判所と被告（被告人）

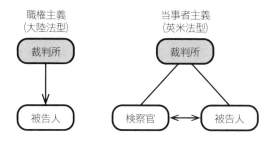

と原告（検察官）の三者からなる構造で捉える。検察官と被告人が対等の立場で相対立するという発想なのである。

　真相の究明を重視する立場は職権主義に結びつき、適正手続を重視すると当事者主義に至るとされることが多い。日本は、戦前の職権主義から戦後の当事者主義に大きく転換したと指摘されることも多い。当事者主義は、当事者が対等であることを前提とし、糾問主義と違って被告人の立場を重視するので、適正手続を重視する立場であるとされることがある。現在、裁判の構造としては、裁判を裁判所と被告（被告人）と原告（検察官）の三者からなる構造で捉える当事者主義が採用されていることは疑いない。戦前の日本では、検察官は、裁判官と並んで、黒い法服を着て高い壇上にいたのである。

　しかし、「当事者主義」「職権主義」というように類型化するモデル論には限界がある。あらゆる問題について、「当事者主義」を徹底しなければならないわけではない。そもそも、いずれか一方の方向性を徹底すれば問題が解決できるわけではないし、刑事訴訟法の解釈論においては、両者の調和点を求める作業が要請されることが多い。

Ⅳ　刑事訴訟法理論　*99*

(3) 捜査の構造論

かつては、捜査を行うのは警察・検察などの捜査機関であり、被疑者は捜査の主体ではなく、捜査の客体であるとされていた。このような捜査観を「警察が被疑者を、上から下に向かって取り調べる」ものとして、**糾問的捜査観**と呼ぶようになる。そして、現行刑事訴訟法が定着し、裁判の段階で検察官と被告人が対等に争うことになる以上、捜査の段階でも警察と被疑者が対等でなければ、裁判における当事者主義を実効性のあるものとできないのではないかという議論が有力化したのである。真の当事者主義を徹底するため、捜査段階でも警察と被疑者が対等でなければならないという考え方を**弾劾的捜査観**という。

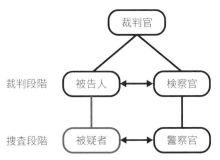

糾問的捜査観では、捜査は被疑者を取り調べる手段である。その結果、強制処分は、捜査側に本来許されるものであるが、濫用の危険があるので法律が限定していると考えることになる。弾劾的捜査観では、警察・検察の捜査というのは、一方当事者としての活動にすぎないから、原則として強制処分は許されない。刑事訴訟法が、例外的に認めているので許容されるにすぎないと考える。そして、事件の真相の解明は全て裁判によるので、捜査の際には「真相の究明」を考えなくてよいことになる。

⑷ 捜査現場における実質的対立点

　この２つの捜査観は、いずれも一方を徹底することはできない。捜査機関の活動（国民の為の真相の究明）と被疑者その他関係者の人権と保持は、共に実現されなければならない。両者の「総和」が最も大きくなるように、「調和点」を、粘り強く求めていかなければならない。犯罪を解決して国民の安全な生活を護るためには、捜査機関が犯人を能率よく的確に検挙し、証拠を収集できなければならない。ところが、犯罪はその性質上隠密に行われることが多いので、犯人及び証拠を捜査することは容易ではない。そこで、捜査においては、被疑者その他関係者の人権侵害を伴う危険のある措置であっても、ある程度認めざるを得ない。強制処分は、捜査には不可欠なのである。しかし、その濫用が人権侵害を引き起こすことも否定できないので、捜査は、常にその必要性と人権保障との合理的な調和を全うしつつ適正に行われるようにしなければならない。

　この問題を解決するために、現行刑事訴訟法は、任意捜査の原則、強制処分についての令状主義を採用している。さらに、被疑者の取調べにおいても、捜査と人権の調和が要請される。

　捜査の現場における両捜査観の実質的な争点は、「強制的な処分」をどの程度緩やかに認めるべきか、それから、被疑者の取調べをどこまで強制的に行い得るとすべきかということにある。**職務質問**に際して、一切の物理力の行使は許されないのか、本人の同意を得ないで捜査官が写真撮影を行うことは一切許されないのか等である（→109頁）。

　そして、より具体的には、①身柄拘束中の被疑者には、**取調べ受忍義務**があるのかという点と、②被疑者の**接見**を制限することはできるのかという点が象徴的な意味を持っているといえよう。弾劾的捜査観によれば、①対等な相手の取調べを受ける義務はないし、②

一方当事者が弁護士と相談することを制限することはあり得ないということになる。

　特に、①に関しては、黙秘権が認められている以上、取調室に長時間いることを義務づけること自体が問題だということになる。しかし、現行刑事訴訟法は、身柄拘束中の被疑者に取調べ受忍義務を課しているのである（198条→122頁）。さらに、黙秘権も、「絶対的な真理」ではなく、真相の究明と適正手続の保障のバランスの取り方の問題なのである。

イギリスにおける黙秘権の制限　「黙秘の不利益推定」

　次のいずれかの場合において、裁判所等は、被告人の黙秘から「適当と認める推論」を導くことができる（1994年刑事司法及び公共秩序法（Criminal Justice and Public Order Act1994））。

　ア　被告人が、公判で防御上主張している事実について、①警察官の取調べの際に当該事実を供述しなかった場合又は、②告発を受け、又は起訴の正式通知を受けた際に当該事実を供述しなかった場合（34条）

　イ　被告人が、公判において、可能であるにもかかわらず証拠を提出せず、又は正当な理由なく質問への回答を拒否した場合（35条）

　ウ　逮捕された際に被疑者の身体、衣服等に犯罪の痕跡がある場合に、警察官が警告の上、その痕跡について同人に説明を求めたにもかかわらず、説明をせず、又はこれを拒否した場合（36条）

　エ　犯罪現場において逮捕された被疑者が、警察官が警告の上、犯罪現場にいたことについて同人に説明を求めたにもかかわらず、説明をせず、又はこれを拒否した場合（37条）

岩瀬徹「実例刑事訴訟法Ⅲ」210頁参照

⑸　社会の変化と刑事訴訟法解釈の変化

　昭和50年代までの戦後の刑事訴訟法理論は、専ら「事件発生後の刑事警察」を念頭に置いてきた。戦前の警察行政を否定し、警察権限の行使は「謙抑的」なほど良いのであり、「民事不介入」、「法は家庭に入らず」が原則とされ、「事件予防的な行政警察」を否定

（というより無視）してきた。しかし、国民の警察への期待は次第に変容していく。「警察官による人権侵害を抑止する」という視点より「安心安全の確保を警察官に求める」という要求が強まる。「防犯カメラはプライバシーを侵害するから設置してほしくない」という声が弱まり「防犯カメラも、警察の設置するものなら是非お願いしたい」という方向に変わってきた（→16頁）。児童虐待、ストーカー、ＤＶは、その方向への転換を象徴している。これらの問題においては、「任意の行政警察活動」だけが許され、刑事活動とは無関係であるとし、「被害が発生しない限りは、捜査機関でもある警察は関与し得ない」とすることは許されない。重大な侵害が、高度の蓋然性で発生し得る場合には、未遂・予備を含めた犯罪構成要件に該当する場合でなくても、禁止命令を出すこと等が可能となってきた。

司法警察と行政警察の相対化

　そもそも、「行政警察活動としてどこまで許されるか」という形で位置づけられてきた「警職法の職務質問の限界」は、捜査の違法性の限界に関する刑事訴訟法解釈の中核部分につながっている（→114頁）。所持品検査がどこから違法捜査になるかは、「捜査一般」の基本的な論点なのである。犯罪の態様によっては、犯罪が起こってから証拠収集するのみでは、国民の安心・安全が護れない状況が、刑事警察の世界にも生じてきていたのである。

通信傍受批判

　刑事訴訟法学者・弁護士の多くが、「犯罪捜査のための通信傍受に関する法律」成立時に激しく反対をし、同法を「盗聴法」と呼び批判した。
　「伝統的には、将来の犯罪のための情報収集活動はすべて行政警察作用に属し、過去の犯罪のための情報収集活動のみが司法警察作用たる捜査に含まれると考えられてきた。ところが……本法の将来の犯罪に関する盗聴には、事後の犯罪の解明・訴追を目的とするものばかりではなく犯罪の防止・鎮圧を目的とするものも含まれているといわざ

IV　刑事訴訟法理論　**103**

るをえない。これまで行政警察の分野においては任意処分が原則とされ、強制処分はきわめて制限されてきたが、本法は人権侵害性の強い強制処分を捜査の名の下にこの分野に持ち込むものといえよう。つまり、本法は、実は、捜査の概念ばかりではなく、行政警察の分野で許容される権限に関しても重大な変更をもたらすものなのである。」（三島聡「盗聴法を解剖する」法セミ1999年11月号54頁）。この指摘は、ある意味で捜査の考え方の大きな転換を、批判的な形ではあるが、見据えていたようにも思うのである。

(6) 最近の犯罪の減少と新しい捜査手法

　平成14年以降、日本の刑事司法システムが対応すべき犯罪状況は、大きく変容した（→ 6 頁）。犯罪発生率は、この20年で約 8 割減少し、刑務所、刑事裁判所、留置施設の収容者・取り扱い人員は半分以下になったのである。そのような中で例えば、現在犯罪率が急激に減少する中で、勾留請求却下率が激増した（→17頁）。捜査機関の側で、請求の枠を拡げたり、請求根拠の書き方などを変更したという事実はない。犯罪が減り続けた後、社会が安定すると、「20日間の身柄拘束は被疑者にとっては大変なことであり、その根拠は厳密に考えるべきだ」と、裁判官が考えるようになってきたという事情があるように思われる。逆に、治安回復・真相究明のためには、被疑者に負担を強いてもやむを得ないという意識が弱まってきたのである。

　そのような中で、最決平21・9・28（刑集63・7・868）が、承諾を得ることなく荷物（小包）に外部からエックス線を照射して内容物の射影を観察した捜査方法について、「**プライバシー等を大きく侵害するものであるから、検証としての性質を有する強制処分に当たる**」とし、令状なしに行われた本件捜査を違法とした。それまでの最高裁の判断基準（→111頁）からは、適法とした高裁の判断を維持することも可能で、判断の実質的基準を微修正したとも考えられ

た。

　そして、最大判平29・3・15（刑集71・3・13→108頁）が、捜査対象者の車にＧＰＳ発信器を取り付けた捜査の違法性について、裁判所の判断が分かれている中、「個人のプライバシーを侵害し得るもの」で、「刑訴法上、特別の根拠規定がなければ許容されない強制の処分に当たる」とした。そして、裁判の中でＧＰＳ捜査の許される条件を示すのは妥当ではなく、立法を待たなければならないとしたのである。

　また、最高裁は、捜査の違法性の限界を司法的観点からぎりぎりまで探求するという方向性を持っていたが（→110頁）、平成29年判決で、「三権分立の理念に立ち戻る司法謙抑主義＝立法による解決への傾斜」への変化を示した。ただ、捜査の法的コントロールに関する「司法と立法の役割分担に関するスタンスの変化」も、現在の治安状況と無関係ではないように思われる。「裁判によって、実質的立法を行っている」という批判を乗り越えてまで、許されるＧＰＳ捜査の範囲を示す必要はないと考えたように思われる。

　一方、平成28年「**犯罪捜査のための通信傍受に関する法律**」（以下「通信傍受法」という。）が改正され、平成28年12月から、対象犯罪に①殺人・傷害、②詐欺・恐喝、③窃盗・強盗、④児童ポルノ関係などが加えられたことは重要である。そして、令和元年6月1日からは、①事業者の立会いを不要とし、②事後傍受が可能となり、③警察施設内での傍受が可能となった。

　令和4年には、警察庁にサイバー警察局が新設され、デジタル情報などに関しての、そしてそれらを利用した捜査の進展が期待されているが、同時に、プライバシーなどの人権に配慮した運用に留意しなければならない。

Ⅳ　刑事訴訟法理論　　**105**

3 捜査の適法性

(1) 任意捜査と強制捜査

　刑訴法197条1項は、捜査の目的を達するため必要な取調べをすることができると定める。そして、ただし書で、強制の処分（強制捜査）は刑訴法に特別の定めがある場合でなければすることができないと定めている。強制捜査については、原則として裁判官の事前審査が必要である。強制処分の裁判書を令状と呼ぶ。具体的には、逮捕状、勾引状、勾留状等のことである。

　任意捜査として、出頭要求・取調べ（198条）、第三者の出頭・取調べ（223条1項前段）、鑑定などの嘱託（223条1項後段）等が、条文上認められているが、それ以外でも、聞き込み、尾行、張り込み、任意同行等も、197条の「捜査の目的を達するため必要な取調べ」に該当する。

　「法律の定め」による強制捜査（処分）には、①令状があれば許される処分（通常逮捕（緊急逮捕）、勾留、捜索・押収等）と、②令状なしでも許される処分（現行犯逮捕、逮捕に伴う捜索・押収等）があることに注意を要する。

　根拠規定がなければ許されない強制捜査と、規定がなくても許される任意捜査を区別する基準は、重要である。相手方の意思に反して直接強制をする方法（逮捕、差押え等）が強制捜査であることは争いないが、相手方に義務を課す方法も強制捜査と解されることが多い。もっとも、有形力の行使を伴うもの全てが強制捜査というわけではなく、個々の捜査ごとに、具体的検討を加えて実質的な判断を行わざるを得ない。任意捜査であっても、必要性、緊急性などを考慮した上、具体的状況の下で相当と認められる限度において、一

定範囲の有形力の行使は許される。

⑵　強制捜査（処分）の具体的基準

　「強制」ということから、「強制処分とは被疑者の意思に反する処分」とか、「有形力の行使を伴う処分」ということを想起しがちである。もちろん、それで多くの場合は、誤りではないが、現在の実務の「強制処分か否か」の判断基準は、「**強制手段とは、有形力の行使を伴う手段を意味するものではなく、個人の意思を制圧し、身体、住居、財産などに制約を加えて強制的に捜査目的を実現する行為など、特別の根拠規定がなければ許容することが相当でない手段**」か否かである（最決昭51・3・16刑集30・2・187。さらに最大判平29・3・15（→105、111頁）参照）。

　そこで、捜査機関において被告人が犯人である疑いを持つ合理的な理由が存在し、犯人の特定のための重要な判断に必要な証拠資料を入手するため、これに必要な限度において、公道上などにおいて被告人の容ぼう等を撮影する行為も強制処分ではなく、相当な方法によって行われたものであれば適法であるとされた（最決平20・4・15刑集62・5・1389）。

　一方、薬物が隠されていると疑われる荷物であっても、外部からエックス線を照射して内容物の射影を観察する行為は、荷受人等の内容物に対するプライバシー等を大きく侵害するものであるから、強制処分（検証）に当たるとされた（最決平21・9・28刑集63・7・868）。エックス線検査は、プライバシーの侵害の程度は極めて軽度のものにとどまるとの原審の判断を退けている。

　また、ＤＮＡを採取する目的を秘して、紙コップに入ったお茶を飲ませ紙コップを回収し、そこから唾液を採取してＤＮＡ型鑑定を行った捜査手法について、「被告人の意思を制圧して行われた強制捜査」とした。判例は、プライバシー侵害と同時に、「被疑者の意

Ⅳ　刑事訴訟法理論　　*107*

思」も重視しているといえよう（東京高判平28・8・23高刑集69・1・16）。

秘密録音

会話を両当事者の承諾なく秘密裡に聴取したり、録音したりすることは、プライバシーの侵害が認められ、捜査官がこれを行う場合には、その違法性が問題となる。広義の秘密録音には、**通信傍受**や、欧米で広く行われている**会話傍受**（住居に侵入して傍受・録音などを行う）のように強制捜査に当たる場合も含まれるが、ここでは、(1)公共の場での会話を秘密に録音する場合と、(2)捜査官が会話の一方当事者であるか、会話の一方当事者の承諾を得て録音する場合について、捜査の許容性を検討する。このような秘密録音については、写真撮影同様、原則は**任意捜査**であると考えられ、その適否に関しては、**相当性**の有無を実質的に判断していかなければならない。公共の場での会話は、プライバシーの利益は放棄されており、そうでない場合でも、会話相手の同意を得ていれば、権利侵害性は縮減しているといえよう。

秘密録音も、①会話の内容・場所・状況等から見てプライバシー侵害がどの程度であるか、②いかなる犯罪についての証拠収集なのか、③それ以外の証拠で嫌疑がどれだけ固まっているのか、④秘密録音でなければ情報が得にくい状況なのかなどを衡量する必要がある。

詐欺の被害を受けたと考えた者が、後日の証拠とするため相手の同意を得ないで会話を録音した行為に関して、たとえそれが相手方の同意を得ないで行われたものであっても、違法ではないとした（最決平12・7・12刑集54・6・513）。

⑶ プライバシー侵害と強制処分と立法

前述のＧＰＳ捜査を強制処分とする最大判平29・3・15（→105頁）は、「公道上のもののみならず、個人のプライバシーが強く保護されるべき場所や空間に関わるものも含めて、対象車両及びその使用者の所在と移動状況を逐一把握することを可能にする」とし、「個人のプライバシーを侵害し得るもの」で、「個人の所持品に秘かに装着することによって行う点において、公道上の所在を肉眼で把握したりカメラで撮影したりするような手法とは異なり、公権力によ

る私的領域への侵入を伴う」ものとした。そして、「ＧＰＳ捜査は、**個人の意思を制圧して憲法35条の保障する重要な法的利益を侵害**するものとして、刑訴法上、特別の根拠規定がなければ許容されない強制の処分に当たる」とした。たしかに、ＧＰＳも含めた新しい捜査手法、科学技術の進歩によるプライバシー侵害への国民の不安感は軽視できないであろう。現在の良好な治安の中で、このような侵害を伴う捜査を捜査機関に許す必要はないと考えた面もあるように思われるのである。ただ、ＧＰＳ捜査は、「**個人の行動を継続的、網羅的に把握する**ことを必然的に伴う」と断じた点には、異論もあり得る。継続的、網羅的情報収集を「可能とする」ことは疑いないが、ＧＰＳ捜査がそれを「必然的に伴うもの」という表現の中に、現在の最高裁の「捜査観」が垣間見える。

　大法廷は、裁判の中でＧＰＳ捜査の許される条件を示すのは妥当ではなく、**立法**を待たなければならないとした。この点に関しては、人権侵害の疑いがあり、法的根拠に争いのあった強制採尿について、⑴最決昭55・10・23（刑集34・5・300）は、「最終的手段として、適切な法律上の手続を経てこれを行うことも許されてしかるべきであり、ただ、その実施にあたつては、被疑者の身体の安全とその人格の保護のため十分な配慮が施されるべきもの」として具体的な捜査態様に触れ、⑵通信傍受に関しても、最決平11・12・16（刑集53・9・1327）は、通信傍受法の成立前にその適法性に関し、一定の要件の下、適切な記載がある検証許可状により電話傍受を実施することは許されるとしてきた。⑶同じく、プライバシー侵害を伴う「令状なしに行う写真（ビデオ）撮影」については、最決平20・4・15（→107頁）が、捜査の適法性の要件を具体的に示し、⑷エックス線検査を強制処分とした最決平21・9・28（刑集63・7・868）も、検証許可状の発付を得なければ違法であるとした。

　それに対して本判決は、①ＧＰＳ捜査は「検証」を超えた性質を

有し検証令状にはなじまず、②令状によっては被疑事実と関係のない使用者の行動の過剰な把握を抑制することができず、③事前の令状呈示は想定できないし、④それに代わる手段が制度化されていないのであり、現行刑訴法下での「令状」を発付することには疑義があり、これらの問題を解消する方法は、**立法府に委ねられた問題**であるとしたのである。たしかに、サイバー世界の展開や新しい科学技術を利用する操作の統制は、西欧近代法に由来する現行憲法・刑事訴訟法の採用している「強制か任意か」とか、「令状主義」という制度枠組みとは必ずしも整合しない。

平成29年判決は、「三権分立の理念に立ち戻る司法謙抑主義＝立法による解決への傾斜」への変化を示した。問題は、それに対応する立法機関の能力にあるのである。

⑷ 任意同行を求める説得行為の限界

任意同行とは、被疑者を取り調べるため、同意を得て警察署への出頭を求めるものである。ただ、同意といっても、積極的な承諾がある場合から、消極的認容にすぎない場合まで幅がある。まず、任意同行を求める場面において、その場に留め置いて説得行為を続けることの許容性が問題となる。最決平6・9・16（刑集48・6・420）は、覚醒剤使用の嫌疑のあるＸに対し、自動車のエンジンキーを取り上げるなどして運転を阻止した上、任意同行を求めて約6時間半以上にわたり職務質問の現場に留め置いた警察官の措置について、覚醒剤使用の嫌疑が濃厚になっていたことを考慮しても、任意同行を求めるための説得行為としてはその限度を超え、任意捜査として許容される範囲を逸脱し違法であるとした。捜査官が合理性のある範囲内で翻意させようと説得することは許容されるが、説得に応じる見込みがない状況のまま現場に留め置くことは許されない。

| 強制採尿令状請求後の説得

　他方、東京高平22・11・8（判タ1374・248）は、午後3時50分ころ自動車を運転中に職務質問及び所持品検査（→115頁）を受け、午後4時30分ころ請求準備にとりかかった強制採尿令状が執行される午後7時50分まで、車両や警察官が被告人及び被告人車両を一定の距離を置きつつ取り囲んだ状態でその場に留め置かれた事案に関し、**強制採尿令状の請求に取りかかった時点を分水嶺として、強制手続への移行段階に至ったと見るべきで、依然として任意捜査ではあるが、純粋に任意捜査として行われている段階とは、性質的に異なる**とし、同令状執行までの約3時間20分は特に著しく長いとまでは認められず、留め置きの態様も距離を置いて取り巻いたり、被告人車両の周囲に警察車両を駐車させたものの、身体を押さえつけたり引っ張ったりするなどの物理力を行使した形跡はなく、強制採尿令状の請求手続が進行中で所在確保の要請が非常に高まっている段階にあったことを考慮すると、そのために必要な最小限度のものにとどまっていると評価できるとして、違法な任意捜査ではないとした（なお。東京高判平21・7・1判タ1314・302参照）。

(5)　比例原則　判例の流れ

　捜査の違法性判断については、判例の蓄積がある。最決昭51・3・16（刑集30・2・187）も、必要性、緊急性なども考慮した上、具体的状況の下で相当と認められる限度において許容されるものとしている。一定の有形力の行使を伴っても正当化されたのは、①酒酔い運転の罪の疑いが濃厚であり、②Xの同意を得て署に同行して説得を続けるうちに、③急に退室しようとしたため、④さらに説得のためにとられた抑制の措置であり、⑤程度もさほど強いものではないから、「捜査活動として許容される」とした。

　また、最決昭59・2・29（刑集38・3・479）は、任意捜査の段階で、被告人を4夜にわたりホテルなどの宿泊施設に宿泊させるなどして取り調べたことに関し、①殺人罪の嫌疑が認められる事件であり、

②被疑者の取調べは、社会通念上相当と認められる方法・態様及び限度において許容されるのであり、③任意取調べの方法として必ずしも妥当なものであったとは言い難いが、④任意に応じたものと認められ、事案の性質上速やかに被告人から詳細な事情及び弁解を聴取する必要性があったので、「社会通念上やむを得なかったもの」とした。

　一方、最決平16・7・12（刑集58・5・333）は、薬物に関するおとり捜査について、直接の被害者がいない薬物犯罪等の捜査において、通常の捜査方法のみでは当該犯罪の摘発が困難である場合に、機会があれば犯罪を行う意思があると疑われる者を対象におとり捜査を行うことは、任意捜査として許容されるとし、「捜査協力者からの情報によっても、被告人の住居や大麻樹脂の隠匿場所等を把握することができず、他の捜査手法によって証拠を収集し、被告人を検挙することが困難な状況にあり、一方、被告人は既に大麻樹脂の有償譲渡を企図して買手を求めていたのであるから、麻薬取締官が、取引の場所を準備し、被告人に対し大麻樹脂２kgを買い受ける意向を示し、被告人が取引の場に大麻樹脂を持参するよう仕向けたとしても、おとり捜査として適法というべきである」としているのである。

　前述の、最決平20・4・15（刑集62・5・1389）も、①強盗殺人等事件の犯人である疑いを持つ合理的な理由が存在し、②撮影が、防犯ビデオに写っていた人物との同一性の有無という犯人の特定のための重要な判断に必要な証拠資料を入手するため、③これに必要な限度において、④公道上及び不特定多数の客が集まるパチンコ店内の被告人を撮影したもの（プライバシー侵害性が弱い）などの事実関係の下では、これらのビデオ撮影は、捜査活動として適法であるとしたのである。

　捜査の違法性は、任意捜査か強制捜査かの分類でのみ決まるのではない。むしろ、違法として時の「効果」をも考慮しつつ、以下の

実質的基準を衡量して決定される。

```
捜査の違法性判断の基本              比例原則
  ①犯罪の重大性  ＊  嫌疑の程度    目的の正当性
  ②手段の侵害性の程度            手段の相当性
  ③必要性・緊急性               必要性
  ④被疑者の同意
```

違法捜査とその影響

　捜査に違法性が認められると、①**準抗告**の手続などにより勾留や差押え等の強制処分について、請求が却下されたり、取り消され、あるいは変更されることになる。②手続が進行し公判手続が開始される時点で捜査の違法を争う方法としては、「公訴が無効なので**公訴棄却**（刑訴法338条4号）を求める」ということが考えられる。③さらに、裁判段階での違法捜査に対するチェックとして、**違法収集証拠排除**という考え方が存在する（→140頁）。④手続外の救済としては、違法な捜査をした警察官を懲戒処分にし、さらに⑤職権濫用罪の適用が問題となることも考えられる（刑法193－196条）。⑥また、被疑者が捜査官（国・地方公共団体）を相手に損害賠償（民法709条等）を請求することも考えられる。ただ、それぞれの効果をもたらす「違法」の程度は、かなり異なることに注意しなければならない。

(6)　職務質問と実力行使の可否

警職法第2条（質問）

　警察官は、異常な挙動その他周囲の事情から合理的に判断して何らかの犯罪を犯し、若しくは犯そうとしていると疑うに足りる相当な理由のある者又は既に行われた犯罪について、若しくは犯罪が行われようとしていることについて知つていると認められる者を停止させて質問することができる。
2　その場で前項の質問をすることが本人に対して不利であり、又は交通の妨害になると認められる場合においては、質問するため、その者に附近の警察署、派出所若しくは駐在所に同行することを求め

IV　刑事訴訟法理論　　*113*

ることができる。
3　前2項に規定する者は、刑事訴訟に関する法律の規定によらない
　限り、身柄を拘束され、又はその意に反して警察署、派出所若しく
　は駐在所に連行され、若しくは答弁を強要されることはない。
4　警察官は、刑事訴訟に関する法律により逮捕されている者につい
　ては、その身体について凶器を所持しているかどうかを調べること
　ができる。

　警職法2条による**職務質問**は、司法警察活動ではなく、行政警察
活動として、これまで述べてきた「捜査」の違法性と区別して論じ
られてきた時期があったが、不審者が呼び止めに応じないで逃げ出
したような場合、一定の範囲内で有形力の行使が認められるが、そ
の限界を検討していくと、最決昭51・3・16（刑集30・2・187）以来
の「捜査の違法性判断」と近似したものであることが分かる。警職
法2条3項は「身体の拘束」を禁止しているが、2条1項が、何ら
かの犯罪を犯し、若しくは犯そうとしていると疑うに足りる相当な
理由のある者などを停止させて質問することができると定め、「停
止させること」は法的に認められている。そこで、判例は、古くか
ら、質問中すきを見て逃げ出した者を、さらに質問を続行すべく追
跡して背後から腕に手を掛けて停止させるような行為は、正当な職
務行為の範囲を超えないとしてきたのである（最決昭29・7・15刑集
8・7・1137）。「質問」することを許す以上、「身柄拘束に至らない
程度の一時的拘束」は許されるとされている。ただ、その実質的基
準は、①想定される犯罪の重大性、②嫌疑の程度、③その場で質問
しなければならない必要性等を勘案して、一定の場合には物理力の
行使も許されるのである。

　近時の判例でも、警察官が赤信号を無視して交差点に進入した車
両を発見したため、これを停止させて運転免許証の提示を求め、さ
らに酒気帯び運転の疑いがあるので呼気検査をする旨告げたところ、
Xが免許証を奪い取り車を発車させようとしたので、警察官が車の

中に手を突っ込んでエンジンキーを回して車両を止めた事案について、①警職法2条1項の規定に基づく職務質問を行うため停止させる方法として必要かつ相当な行為であり、②この場合には、道交法の規定に基づき、酒気帯び運転をするおそれがあるときに交通の危険を防止するためにとった必要な応急の措置でもあったと判示した（最決昭53・9・22刑集32・6・1774）。ここでは、拘束の程度のみでなく、「交通の危険を防止する必要性」という面が加味されていることに注意しなければならない。よほどのことがない限り、警察官が一方的にエンジンスイッチを切る行為は、許されない。

(7) 所持品検査

職務質問の際に持ち物を検査してよいかについて、最判昭53・6・20（刑集32・4・670）は、明文の規定はないが、所持品検査は、口頭による質問と密接に関連し、かつ、職務質問の効果を上げる上で必要性、有効性の認められる行為であるから、職務質問に付随して行うことができる場合があるとしている（警職法2条1項）。質問付随性の判断においても、具体的な検査の箇所や態様などから認められる個人の権利が侵害される程度と、疑われている犯罪の重大性、嫌疑の強さ、物件所持の疑いの強さ、その物件の危険性の強さなどから認められる公共の利益とを比較衡量して決定する必要がある。

最判昭53・6・20（刑集32・4・670）：持凶器の銀行強盗が発生し緊急配備をし検問していたところ、手配人相に似た若い男が2人に職務質問したが返答を拒否され、後部座席のアタッシュケースとボーリングバッグの開披を何回も求めたが拒否された。そこで、承諾のないままバッグのチャックを開けると大量の紙幣が無造作に入っているのが見え、引き続いてアタッシュケースを開けようとしたが鍵の部分が開かず、ドライバーを差し込んでこじ開けると中に大量の紙幣が入っており、被害銀行の帯封のしてある札束も見えたので、緊急逮捕し、その場で

Ⅳ　刑事訴訟法理論

ボーリングバッグ、アタッシュケース、帯封一枚、現金等を差し押さえた点に関し、大要、以下のように判示した。

【判旨】①職務質問に付随する所持品検査は、承諾を得てその限度において行うのが原則であり、

②捜索に至らない程度の行為は、強制にわたらない限り、所持品検査の必要性、緊急性、これによつて侵害される個人の法益と保護されるべき公共の利益との権衡などを考慮し、具体的状況のもとで相当と認められる限度で許容される。

③凶器使用の銀行強盗という重大事件であり容疑が濃厚な場合で、職務質問に対し黙秘し再三にわたる所持品の開披要求を拒否するなどの不振な挙動をとり続けた以上、容疑を確かめる緊急の必要上、承諾がないままその者の所持品であるバッグの施錠されていないチャックを開披し内部を一べつしたにすぎない行為は、許容される。

④アタッシュケースをこじ開けた行為は、バッグの適法な開披により既に緊急逮捕することができるだけの要件が整い、しかも極めて接着した時間内にその現場で緊急逮捕手続が行われているので、逮捕する目的で緊急逮捕手続に先行して逮捕の現場で時間的に接着してされた捜索手続と同一視しうるものであり適法である。

一方、パトカーで警ら中の警察官が、信号が青色に変わったのに発進しない自動車を認め、パトカーの赤色灯を点灯し停止を呼び掛けたところ発進したため、サイレンを鳴らしマイクで停止を求めながら追跡すると、その自動車がしばらく走行して停止したので、運転していた被告人に対し職務質問を開始した。被告人が免許証を携帯しておらず、照会の結果覚醒剤の前歴5件等のあることが判明し、さらに、被告人のしゃべり方が普通と異なっていたこともあり、約20分間にわたり所持品や自動車内を調べたいなどと説得したものの、被告人はこれに応じようとしなかったところ、窓から車内をのぞくなどしていた他の警察官から白い粉状の物があるという報告があったため、被告人に対し、検査したいので立ち会ってほしいと求めたところ、被告人が「あれは砂糖ですよ。見てくださいよ」などと答えたので、被告人を自動車のそばに立たせた上、車内に乗り込み、

床の上に散らばっている白い結晶状の物について予試験を実施したが、覚醒剤は検出されなかった。その直後、被告人に「車を取りあえず調べるぞ」などと告げ、他の警察官に対し「相手は承諾しているから、車の中をもう１回よく見ろ」などと指示した。そこで、他の警察官らが、懐中電灯等を用い、座席の背もたれを前に倒し、シートを前後に動かすなどして、自動車の内部を丹念に調べたところ、運転席下の床の上に白い結晶状の粉末の入ったビニール袋１袋が発見されたという事案に関し、最高裁は、警察官が自動車内を調べた行為について、被告人の任意の承諾がない限り、職務質問に付随して行う所持品検査として許容される限度を超えているところ、被告人の任意の承諾はなかったのであるから、その行為は違法であるとしていることに注目を要する（最決平７・５・30刑集49・５・703）。

自動車検問

　自動車検問も職務質問の一態様である。検問とは、犯罪の予防・検挙のため、警察官が一定の場所で走行中の自動車を停止させて、運転者等に必要な質問を行うことをいう。自動車検問は、質問を行う前提として無差別に自動車の停止を要求するところに特色がある。

　自動車検問には３つの類型がある。まず、①緊急配備活動としての検問で、犯罪が発生し、「そちらの方に車で逃走した」という通報があったような場合に行われる。犯人の検挙及び情報収集のために停止を求める高い必要性が存在する。特定の犯罪について行われるものであるから、警職法２条１項を根拠に許されるとされる。次に、②交通検問と呼ばれるものがある。これは交通違反の予防・検挙のために行われる。整備不良車と認められる場合（道交法63条）や、危険防止に必要な場合（道交法61条）には、道路交通法上、警察官に停止権限が認められている。そのような目的に絞った交通検問であれば、法的根拠のある捜査といえる。これに対し、③いわゆる一斉検問は、道交法違反の取締り目的だけで行われるわけではなく、犯罪一般の予防・検挙のために行われるものであり、次に述べる警戒検問の要素がかなり含まれている。①、②のような明確な根拠が存在しないため、原則としては任意に停止した車にしか質問はできないことになる。

Ⅳ　刑事訴訟法理論　　**117**

職務質問は、歩行者のみでなく自動車に乗っている人にもできるはずであり、自動車は止めなければ質問できないし、また、自動車は止めてみなければ職務質問をすべき嫌疑があるかどうかも分からない。警職法2条1項は、自動車に関しては一応全てについて停止を求め得ることを前提に、止めて嫌疑があれば質問すればよいし、嫌疑がなければそのまま通せばよいとする趣旨だと解する。しかし、この説明は、無差別に停止させる根拠としては十分でない。そこで、判例は、一定の方法で行われる場合に限って適法であるとしている。

<u>4</u>　逮捕・勾留と捜索・差押え

(1)　被疑者の逮捕・勾留

　被疑者の身柄の確保のために行われる**逮捕**とは、**相当な嫌疑のある被疑者の身体の自由を拘束し**、引き続き短時間の拘束を継続することで、この場合も令状（逮捕状）が必要である（通常逮捕）。逮捕状は、極例外的な緊急な場合（緊急執行－刑訴法201条2項）を除いては、事前に提示して逮捕しなければならない。そして、逮捕した後には、①逮捕理由となった犯罪事実の要旨と、②弁護人選任権が告げられ、③弁解の機会が与えられなければならない。そこで必要性があると認められると、検察に送るまで最大48時間の留置が認められることになる（刑訴法208条）。ただ、身柄を拘束された者は、立会人なしで弁護士と面接することができる（**接見**）。

　現に罪を行い、又は現に罪を行い終わった者については、令状なしで、一般人でも現行犯逮捕ができる（**現行犯逮捕**－刑訴法213条）。犯人であることが逮捕者に明らかで、誤認逮捕のおそれがなく、直ちに逮捕を許す必要性が大きいからである。犯人として追呼されているとき、盗品又は明らかに犯罪の用に供したと思われる凶器その他の物を所持しているとき、身体又は被服に犯罪の顕著な証跡があ

るとき、誰何されて逃走しようとするときには、現行犯人とみなされる（**準現行犯逮捕**−刑訴法212条 2 項）。

　緊急な場合には、まず被疑者を逮捕し、後から逮捕状を請求することが認められている。ただし、①死刑、無期、長期 3 年以上の刑の犯罪で、②これらの罪を犯したと疑うに足りる「充分な理由」と、③逮捕の緊急な必要性があり、④直ちに逮捕状を請求することが必要である（**緊急逮捕**−刑訴法210条）。

　被疑者の身柄を拘束している場合、検察官は24時間（初めから数えて72時間）以内に**勾留**するか起訴するか釈放するかしなければならない。勾留とは、被疑者又は被告人を拘禁する裁判とその執行のことであり、相当な嫌疑と、定まった住居を有しないか、罪証隠滅のおそれないし逃亡のおそれが必要となる。勾留は10日間認められ、やむを得ない事情があれば10日の延長が可能である。このように勾留は、逮捕に比較して大変長期の身柄拘束なので、被疑者は、裁判所が公開の法定で勾留の理由を説明し被疑者はそれに対し意見を述べることができる**勾留理由開示**を要求できる。

　なお、検察が勾留を請求しても、罪証隠滅のおそれがないなどとして、地裁で却下される割合が、0.5％（平成15年）から9.8％（令和元年）に急上昇した。保釈についても同じような動きが出てきている。その背後には、犯罪が減り続けた後、治安が安定すると、「20日間の身柄拘束は被疑者にとっては重大なことであり、その根拠は厳密に考えるべきだ」と、裁判官が考えるようになってきたという事情があるように思われる（最決平26・11・17判タ1409・123）。

⑵　任意の聴取と逮捕の限界

　被疑者の同意があれば、警察署などに同行を求めて事情を聞くことは許される。逆に、警察官の説得等により、消極的なものであっても「同意」（あるいは拒否し得るのに拒否しない言動）がなけれ

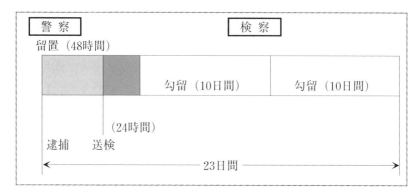

ば、警察署への連行までは許されない。拒否し得ない状況で「任意同行」すれば、実質的な逮捕と解される。

例えば、最判昭61・4・25（刑集40・3・215）は、覚醒剤使用事犯の捜査に当たり、警察官が被疑者宅寝室内に承諾なしに立ち入り、また明確な承諾のないまま同人を警察署に任意同行した上、退去の申し出にも応ぜず同署に留め置いた行為について、任意捜査の域を逸脱したものとし、最決昭63・9・16（刑集42・7・1051）は、同行の前後の被疑者の抵抗状況に徴し、同行について承諾があったものとは認められないとして、その手続に違法があるとした。

警察署などに同行した後も、被疑者の同意があれば、取調べを続けることができるが、逮捕することなく警察署に留め置くには限度がある。例えば、尿の任意提出を拒む者を強制採尿の令状の発付を得て執行するまでの間留め置くような場合でも、①薬物使用の嫌疑の程度と所在確保の必要性の高さ、②留め置きの態様、③令状主義を潜脱する意図の有無などを総合して許容される範囲を逸脱したか否かが判断される。

> **徹夜の任意聴取**
> 任意同行後の徹夜での取調べは、被疑者に多大な苦痛等を与えるもので、任意捜査として一般的に許されるものではない。ただ、最決平元・7・4（刑集43・7・581）は、被疑者に対する任意の取調べは、**事案**

の性質、被疑者に対する容疑の程度、被疑者の態度等諸般の事情を勘案して、社会通念上相当と認められる方法ないし態様及び限度において、許容されるとし、殺人事件の被害者の生前の生活状況等をよく知る被告人から事情を聴取するため、深夜に任意同行し、冒頭被告人から進んで取調べを願う旨の承諾を得て徹夜で22時間取調べた事案につき、自白を強要するため取調べを続け、あるいは逮捕の際の時間制限を免れる意図のもとに任意取調べを装って取調べを続けた結果ではなく、それまでの捜査により既に逮捕に必要な資料は得ており、被告人が取調べを拒否して帰宅しようとしたり、休息させてほしいと申し出た形跡はなく、虚偽の供述や弁解を続けるなどの態度を示しており、本件事案の性質、重大性を総合勘案すると、本件取調べは、社会通念上任意捜査として許容される限度を逸脱したものとまでは断ずることができないとした。①被告人が自ら取調べを願い、途中で取調べを拒否しようとした形跡はなく、②捜査官が逮捕の時間的制限を免れる目的もなく、取調べを必要とする状況にあったほか、③事案が重大であったことなどから、社会通念上任意捜査として許容されるとしたのである。

宿泊を伴う任意聴取

　宿泊させた態様が留置施設に収容したのと実質的に変わらないものであれば、被疑者が同意していても、許される任意捜査とはいえない。ただ、最決昭59・2・29（刑集38・3・479）は、任意捜査の段階で、4夜にわたりホテル等に宿泊させるなどして取調べた行為の適法性に関し、任意捜査の一環としての被疑者に対する取調べは、事案の性質、被疑者に対する容疑の程度、被疑者の態度等諸般の事情を勘案して、社会通念上相当と認められる方法ないし態様及び限度において許容されるとし、「4夜にわたり所轄警察署近辺のホテル等に宿泊させるなどした上、連日、同警察署に出頭させ、午前中から夜間に至るまで長時間取調べをすることは、任意捜査の方法として必ずしも妥当とはいい難いが、同人が右のような宿泊を伴う取調べに任意に応じており、事案の性質上速やかに同人から詳細な事情及び弁解を聴取する必要性があるなど本件の具体的状況のもとにおいては、任意捜査の限界を超えた違法なもの」とはいえないとした。

　これに対し、捜査段階において9泊10日にわたる宿泊を伴う取調べが行われた事案について、東京高判平14・9・4（判時1808・144）は、当初の2日間長女のいた病院の病室に宿泊させたことは相当であった

としたものの、その後ビジネスホテルに宿泊させ、厳重に監視し、ほぼ外界と隔絶された状態で連日長時間にわたって取調べに応じざるを得ない状況においたもので、事実上の身柄拘束に近い状況にあったものと認め、任意捜査として許容される限界を超えた違法なものであるとした。そして、その取調べによって得られた上申書とこれに引き続く逮捕・勾留中に得られた自白の証拠能力につき、違法収集証拠排除法則に基づき、証拠能力を否定した。

⑶ 逮捕者の取調べとその制限

　憲法上、「何人も自己に不利益な供述を強要されない」という黙秘権が認められている（38条1項）。①真実を歪める（虚偽の自白を誘発する）という危険と、②被疑者の人権が害されるという問題があるためであると説明されている。そして、黙秘する権利がある以上、たとえ逮捕されていても、強制的に取調べを受ける義務はないという主張が、学説上有力に主張されてきた。

　たしかに、被疑者は犯罪を犯したのではないかとの見込み（犯罪の嫌疑）で拘束されており、しかも、その取調べには捜査機関しか立ち会わないから、厳しい追及がなされかねない。そこで、強制、拷問等による自白の証拠能力を否定する形で（憲法38条2項、刑訴法319条1項）、間接的に自白の強要を防止しているが、それを超えて、身柄を拘束された被疑者の取調べを禁止すべきであるという議論も考えられないではない。弾劾的捜査観に立脚すると、一方当事者である被疑者が相手方当事者である捜査機関の訴訟準備に協力する義務を負うのは不合理だということになる。しかし、刑訴法198条1項は、拘束された被疑者の取調べ自体を禁じてはいないし、取調べが事実上できないような規制も存在しない。そしてただし書で、「被疑者は、逮捕又は勾留されている場合を除いては、出頭を拒み、又は出頭後、何時でも退去することができる」としており、拘束された被疑者には取調べ受忍義務が存在すると解するのが自然である。

そこで、判例は**取調べ受忍義務肯定説**を採用している（最大判平11・3・24民集53・3・514）。同項ただし書の文言に加え、実質論としても、受忍義務肯定説が合理的である。被疑者に存在する人権侵害の危険性と、身柄拘束中の被疑者の取調べの必要性を衡量した場合、受忍義務そのものを否定することは、刑事訴訟法1条の定める真相解明の目的を軽視しすぎるものといわざるを得ない。取調べの行き過ぎの規制を充実する方向での議論は必要であるが、身柄を拘束することを正当化するだけの嫌疑と必要性が備わっている被疑者に対して、質問して取り調べることは、相当な捜査方法と解すべきである。

　日本では被疑者の取調べは原則として許されている。しかし、英米法的な考え方によれば、他の証拠を収集すべきで、被疑者の取調べに依存すべきではないということになるといえよう。その基礎には、被疑者を取り調べればほぼ必ず人権侵害を生じさせるという考え方が存在する。そこでアメリカでは、裁判官の元への迅速な引渡しを要求することにより、実質的に取調べ時間を短くするマクナブ＝マロリー・ルールが採用され、さらには、弁護人が立ち会わなければ取調べを認めないというミランダ・ルールが採用された。このミランダ・ルールに従った州においては、一時期、被疑者の尋問が実質的に禁じられることになった。しかしミランダ・ルールは、適用範囲が限定されるなどして、取調べが認められていく。いずれにせよ、我が国の刑事訴訟法はアメリカの影響が強いものの、実質的にかなり異なる側面を有するのであるから、単純に、アメリカの議論を手本とすれば解決するというわけにはいかない。

　取調べの際に人権侵害が生じるのを防止し得る方法をいかに合理的な形で実現していくのかについては、①取調べ時間の制限、②弁護人の立会い、③取調べ状況の録音・録画などが考えられたが、我が国では③が使用されることになった。

取調べの可視化

　足利事件などの冤罪事件の続く中、大阪地検特捜部主任検事証拠改ざん事件が発覚したことが導引となり、取調べに録音・録画が導入された（大阪地方検察庁特別捜査部検事が、証拠物件のフロッピーディスクのデータを改ざんした事件である）。

　検察において平成18年8月から、警察において平成20年9月から「自白が重要な証拠となり得る重大事件についての取調べ状況の録音・録画」が試行された。さらに、警察庁は平成28年10月1日から、機器の故障や容疑者が拒んだ時など法律が定める4つの例外事由を除き、裁判員裁判の対象事件は原則として可視化するという指針で運用を始め、令和元年6月から、裁判員裁判になる事件は原則全過程の可視化が義務づけられた。

(4)　捜索・差押え、検証

　強制捜査の代表例が、**物の押収・捜索**である。押収とは、証拠物又は没収すべきと考えられる物を強制的に警察官の支配下に移すことである。捜索とは、人の身体、物件又は住居その他の場所についての被疑者や証拠物などの発見のための強制的な処分である。被疑者にとって非常に重大な利益の侵害を伴う処分なので、捜索する場所及び押収する物を具体的に明示して裁判所が発する令状なしには認められないのである（例外として、逮捕の現場においては、令状によらない捜索・差押えが認められる）。また、捜査官が直接見たり触ったりして、場所や物についてその性状などを強制的に認識し、証拠を得ることを検証という。死体を解剖したり、墳墓の発掘、物の破壊などの処分が許されているが、当然、令状が必要である（刑訴法218条1項）。

　検証調書とは、警察官などが検証した結果をまとめた書類のことである。検証の対象である場所や物の所有者、検証の対象である人が検証に同意しない場合でも、裁判所の令状（検証許可状）があれば、検

証はできる。人の身体が対象のときには身体検査令状が発付される。これに対して、**実況見分調書**は、「場所や物、人などの状態を目で見るなどして認識できた結果をまとめた書類」という点では検証調書と同じなのであるが、実況見分には裁判所の令状は必要ない。そのかわり、原則として関係者の同意が必要である。ただし、公の場所で実況見分を行うときには、関係者の同意は必要ない。交通事故の事件で、公道上の事故現場で衝突により破損して止まっている車の状態やスリップ痕の状態を見たり、距離を測ったりして確認する場合には、同意がなくても実況見分を行うことができる。

⑸ デジタルデータの捜索・差押え

コンピュータに接続された記録媒体からの複写コンピュータ・ネットワークが高度に発展し、クラウドコンピューティングなど、遠隔のコンピュータの記録媒体に電磁的記録を保管し、あるいは必要の都度これをダウンロードするなどといった利用（リモート・アクセス）がかなり一般化していることから、従来の記録媒体を差し押さえるという方法だけでは捜査の目的を十分に達成できないことになった。そこで、平成23年6月、刑法と併せて刑訴法の一部改正が行われた。この骨子は、①従来の記録媒体の差押えに加えて、コンピュータに接続されている記録媒体から複写して差し押さえることを認め（刑訴法218条2項、219条1項）、②新たな強制処分として記録命令付差押えを創設し（刑訴法218条1項：電磁的記録を保管する者その他電磁的記録を利用する権限を有する者に命じて必要な電磁的記録を記録媒体に記録させ、又は印刷させた上、当該記録媒体を差し押さえること）、③電磁的記録物の差押えの執行方法として、特定の情報にとどめる代替的方法を認め（刑訴法110条の2）、④電磁的記録物の差押状の執行を受ける者等に協力を要請できるものとし（刑訴法110条の2）、⑤通信履歴の保全要請（刑訴法197条3項）ができるというものである。書面によって30日以内のログの保全を要

IV　刑事訴訟法理論　**125**

請することが可能となった。

協力要請

電磁的記録に係る記録媒体の差押え等を行うに当たっては、コンピュータ・システムの構成、システムを構成する個々のコンピュータの役割・機能や操作方法等について、技術的、専門的な知識が必要となる場合が多いことから、捜査機関が自力執行するのは困難な場合も多く、処分を受ける者の利益の保護等の面からも、システムの構成等について最も知識を有すると思われる被処分者の協力を得ることが必要であり、捜索・差押えを実施する者が被処分者に協力を求め、被処分者もこれに協力することができる法的根拠を明確にした（刑訴法111条の2）。

国外所在サーバへのリモートアクセス

リモート・アクセスによる電磁的記録の複写の処分を許可した捜索差押許可状の執行に当たっても、差押えの現場における電磁的記録の内容確認の困難性や確認作業を行う間に情報の毀損等が生ずるおそれの程度によっては、個々の電磁的記録について個別に内容を確認することなく複写の処分を行うことが許される場合がある。

最決令3・2・1（刑集75・2・123）は、電磁的記録を保管した記録媒体が条約締約国に所在し、開示する正当な権限を有する者の合法的かつ任意の同意がある場合には、国際捜査共助によらなくても、同記録媒体へのリモートアクセス・記録の複写は許されるとしている。「刑訴法は日本国内にある記録媒体を対象とするリモートアクセス等のみを想定している」との弁護側の主張を退け、サイバー犯罪に関する条約（平成24年条約第7号）の締約国に所在し、同記録を開示する正当な権限を有する者の合法的かつ任意の同意がある場合には、国際捜査共助によることなくリモートアクセス（記録の複写）が許されるとしたのである。

5　公判廷での審理

(1)　起訴状一本主義

裁判は、検察官が、裁判所に起訴状を提出し、被告人を処罰する

ための裁判を求めることが必要である。起訴すべきか否かは、検察官が判断する（**起訴便宜主義**）。

　起訴状には、被告人を特定することに必要な、氏名、年齢、職業、住居、本籍が記載される。そして**公訴事実**が記載される。これが、裁判（審判）の対象なのである。検察官が起訴した犯罪事実について、被告人が有罪なのか無罪なのか、もし有罪なら被告人にはどの程度の刑を科すかを決めていくのである。

　なお、起訴状には、裁判官に事件について予断を生じさせるおそれのある書類その他の物を添付し、又はその内容を引用してはならない（**起訴状一本主義**）。証拠は、刑訴法の規定に従って、裁判が始まってから、法廷で提出される。現行刑訴法は、白紙の状態で第１回公判に臨むのが公平かつ公正であると考えたのである。ただ、裁判員制度に伴って、公判前整理手続が広く導入された。争点整理のために記録や証拠に接したとしても、予断排除の原則に反するとまではいえないと解されている。

(2)　裁判員制度

　裁判員法により、平成21年５月21日から、一般の国民の中から選ばれた裁判員が裁判官と共に一定の重大な犯罪に関する裁判を行うという裁判員制度が実施されている。国民に裁判に加わってもらうことによって、国民の司法に対する理解を増進し、長期的にみて裁判の正統性に対する国民の信頼を高めるためのものである。連日的開廷による**集中審理**（それに伴う迅速化）の実現と、**直接主義・口頭主義の実質化**が進行しており、**警察官の証人出廷も増加**した。それに備えた教養等の準備が重要となった。

　裁判員制度の対象となる事件は、法定刑に死刑又は無期刑を含む事件と法定合議事件のうち故意の犯罪行為で人を死亡させた事件である。被告人に、裁判員の関与した裁判体によるか裁判官のみの裁

判体によるかを選択する権利も、認められていない。

　基本的には、裁判官3人と裁判員6人の合議体（原則的合議体）で取り扱われる。裁判員は、裁判官と共に、事実の認定、法令の適用、刑の量定を行うが、その他の判断、すなわち法令の解釈、訴訟手続に関する判断等は、基本的に、裁判官のみが行う。評決は、基本的には単純過半数で決せられるが、構成裁判官又は裁判員のみによる多数では被告人に不利益な判断をすることができない。裁判官と裁判員の協働という本制度導入の趣旨に基づくものである。

裁判員の選任
　18歳以上の国民の中から無作為抽出の方法で選ばれた候補者の中で、欠格事由・就職禁止事由・不適格事由に該当しない者が選ばれる。辞退事由に当たると認めた者も除かれることになる。

選任手続
　毎年、翌年に必要な裁判員候補者の員数を算定し、管轄区域内の市町村に割り当て、市町村の選挙管理委員会が、選挙権のある者の中からくじで選び、その名簿を地方裁判所に送付する。個々の対象事件の第1回公判期日が決まると、候補者名簿の中から更に抽選してその事件の裁判員候補者を選定し期日に呼び出す。
　選任手続期日に、候補者への質問が行われ、欠格事由等に該当するか否かを判断する。

公判前整理手続
　裁判員事件では、審理に要すると見込まれる期間が明らかになっている必要があることから、必ず公判前整理手続に付される。この手続を経ることによって、争点を絞り、効率的で、しかも裁判員に分かりやすい集中的・計画的審理を実現させることが可能となる。すなわち、裁判員の拘束される期間をできるだけ短くし、争点に集中した審理を行うことによって、裁判員の負担が過重にならないようにすることができるとともに、裁判員が事件の実体に関して理解し、裁判官との評議を経て刑事裁判に実質的に関与できるようになる。また、公判前整理手続においては、請求された証拠の採否の決定まで行うことができるから、裁判員の関与しない訴訟手続に関する判断などは、可能であればこの段階で済ませておくことができる。

⑶ 裁判の開始

　裁判は、検察官が裁判所に対し、被告人を処罰するための裁判を求めることによって始まる。この段階から被疑者は被告人となる。検察官が起訴しなければ開始されることはあり得ないのである。犯罪を犯したことを裁判官や裁判員が知ったとしても、検察官が起訴しなければ、裁判は始まらないのである。

　　起訴され被告人となった後についても「勾留」は認められている。ただ、検察段階と異なり、その期間は2か月で、しかも1か月ごとの更新が、事実上何度も許されている。このように長期の身柄の拘束であるため、被疑者にはない**保釈**という制度が認められている。保証金の納付を条件に形式的には勾留を継続しながら事実上釈放することである。

　起訴されると、裁判所は遅滞なく起訴状の謄本を被告人に送達しなければならない。そして、弁護人の選任権が伝えられる。法定刑の重い犯罪には、弁護士がいなければ開廷し得ないものがある（**必要的弁護事件**）。

　そして、裁判を開く前に、①事件に争いがあるか、②争いがある場合の争点は何か、③証拠として何を調べるかなどを整理するため、**公判前整理手続**を行う。この制度は、裁判員制度と不可分に結びついたものとして導入された。公判前整理手続では、まず、検察官が、どのような事実を証明しようと考えているか（証明予定事実）を明らかにした上、捜査で集めた証拠を裁判で調べるよう請求し、その証拠を弁護人に開示する。そのほか、検察官が裁判に出すつもりのない証拠のうち、証拠物や鑑定書、証人や被告人の供述調書なども、この段階で、弁護人は、開示を求めることができる。

　弁護人は、被告人から事情を聴くとともに、検察官の証明予定事実や検察官から開示された証拠を検討して、裁判で、被告人側から

Ⅳ　刑事訴訟法理論　　*129*

どのような主張をするかを決めて、裁判で予定する主張の内容を明らかにする。弁護人が公判に提出したい証拠があれば、その証拠の取調べを請求する。被告人側が主張することを予定していることに関係する証拠を検察官が持っている場合、その開示を求めることができる（**証拠開示**）。このような整理を踏まえ、裁判所は審理の計画を立てる。これにより裁判の時間的な短縮が実現した。裁判員の負担を軽減するための重要な手続である。

⑷　証拠調べ

公判廷では、まず、**冒頭手続**が行われる。裁判長は、出頭した被告人が人違いでないかどうかを確かめなければならない（**人定質問**）。具体的には、被告人の氏名、年齢、職業、住居、本籍を質問し、起訴状に記載された被告人であるか確認し、次に、検察官が起訴状を朗読する。審理の対象を明らかにし、被告人に対しては防御の対象を明らかにするためである。そして、裁判長は、被告人に対し、①終始沈黙することも、個々の質問に対して陳述を拒むこともできること、②陳述をすることもできるが、陳述は被告人にとって利益な証拠とも不利益な証拠ともなることについて説明しなければならない。そして、裁判長は、被告人及び弁護人に対し、被告事件についての陳述を求める。

証拠調べは、検察側の冒頭陳述から始まる。まず検察官が、これから証拠を用いて証明しようと考えている事件の全体像を示し、個々の証拠がどのように位置づけられるかを示す。被告人・弁護人としても、検察官の具体的な主張が理解できて、防御するのに役立つ。

その後の**証拠調べ**は、証人から証言を聴いたり、証拠の書類や物を調べたりする。検察側の証拠のうち必要なものを全て調べ、その後に被告人側の証拠を調べる。被告人に対しては、いつでも誰でも質問できるのであるが、実際には最終段階に、被告人質問という形

で、事実関係、情状等に関する細かい供述を行わせることが多い。

証人尋問では、まず証人の証言を求めた者（検察官か弁護人）が尋問をする。この尋問を**主尋問**という。ここでは、誘導尋問は禁止されている。主尋問の後、その証人に対し相手方から**反対尋問**が行われる。反対尋問では、通常、質問者と証人とは対立するような場合が多く、記憶に反する証言に誘導される危険は少ないので、原則として誘導尋問をすることが許されている。

被告人に対する証拠が全て出そろった段階で、検察官は、それらの証拠からどのような事実が認められるか、どのような犯罪に当たるのかという法的評価を述べる。これが**論告**で、その際に、どの程度の刑罰を科すべきかということの意見も併せて述べる（**求刑**）。

証拠調べが終わると、**評議**となる。裁判官と裁判員が、一緒に話し合って、有罪・無罪や刑罰の種類や重さを決める。もちろん、それ以前の段階にも、裁判官と裁判員が、お互いに証拠調べの内容に関する理解を確認し合ったり、論点を整理するために話し合いをすることはあり得る。

6 証拠法

⑴ 裁判における証明

刑事裁判は、起訴状に示された事件について、被告人に刑罰を科すことができるか否かを確定し、科すことができるとしたらどのような刑罰を科すのが相当であるかを決める作業だといってよい。前者は、検察官の主張する犯罪事実が認められるか否かの判定（**事実認定**）と、その事実に法を適用する（いずれの構成要件に該当するのか、とか正当防衛に当たるのかという判断作業）ことに分けられる。実際の裁判の場においては、事実認定が圧倒的に重要である。

犯罪事実は、過去に生じたものなので、裁判をする側はそれを直接見聞できない。そこで、裁判員は、その事実を直接見聞きした者（目撃者、被害者、被告人等）の話を聞くことにより判断せざるを得ない。ただ、犯罪の際には様々な痕跡が残ることも多い。それを手掛かりにして、犯罪があったのか否かを判断することも可能である。目撃者の話や犯罪の痕跡のように、犯罪事実を認定する資料を**証拠**という。

　刑事訴訟法は、事実の認定は証拠に基づくものでなければならないとしている（**証拠裁判主義**－317条）。訴訟における事実の存否は証拠に基づく合理的なものでなければならないとするものであり、近代裁判の大原則とされているものである。

　「証拠」とは、どんな証拠でもよいというのではなく、原則として、①法廷に出すことが許されている証拠（**証拠能力のある証拠**）で、②認定に役に立つものであり（**証明力**があり）、③法律の定めた証拠調べの手続を経た証拠でなければならない。

　これらの証拠に基づくのであれば、裁判官と裁判員の理性と良心を信頼して、被告人が犯罪を犯したかどうか等の判断を委ねるのである（**自由心証主義**）。ただ、自由心証主義といっても、裁判官・裁判員の勝手な判断を許すものではなく、経験則・常識に基づく、合理的な結論でなければならない。

　証拠が事実の証明にどれだけ役立つかということを**証明力**という。証明力は、その証拠がどの程度信用できるのか（信用性）と、その証拠から、ある事実が存在したことがどれくらい確実にいえるか（証拠と事実との間の関連性の大きさを示す**狭義の証明力：関連性**）ということを総合して判断される。他の多くの証拠、特に客観的証拠と符合する証言の方が他にそのような証拠のない証言よりも信用性が高いし、その者しか知り得ない事実が含まれていて、それが他の証拠により確認された場合なども、その証言の信用性は高い。そして、「被害者の横で犯人の顔を見た」という証言の方が「500m前方に逃げ去った犯人の服を見た」という証言よりも関連性が大きい。

132

⑵ 証拠能力と厳格な証明

　裁判における事実の認定のために証拠として使うことが許される場合を「**証拠能力がある**」という。証拠能力がない証拠を犯罪事実の認定には使えない。**証拠の許容性**と表現することもできる。

　証拠能力に関しての一般的な規定は、刑事訴訟法には存在しない。①誤判を招くおそれのある単なるうわさ、想像、意見のようなものは証拠能力を欠く。②**違法に集められた証拠**も証拠能力が否定される場合がある（→140頁）。そして、証拠能力に関する最も重要な定めが、③**伝聞証拠の排除**と、④**自白法則**である。

　厳格な証明とは、このような証拠能力が認められ、かつ、公判廷における適法な証拠調べを経た証拠による証明のことである。ただ、裁判の場で認定しなければならない事実はまさに多種多様なので、その全てを厳格な証明によって証明していたら訴訟が成り立たなくなる。そこで、犯罪の成否などの中核的事実以外の手続的な事実等については、より簡便な証明で足りるとされているのである。これを**自由な証明**と呼ぶ。さらに、裁判官に確からしいという程度の心証（推測）を生じさせることで足りるという**疎明**が用いられる場合がある（訴訟手続上の事項に限られる）。

> 　裁判官・裁判員の心証の程度も、合理的な疑いを生ずる余地のない程度に真実であるとの心証（**確信**）、事実の存在を肯定する証拠が否定する証拠を上回る程度の心証（**証拠の優越**）、一応の蓋然性が認められるという心証（**推測**）の3段階に分けられ、厳格な証明、自由な証明、疎明に対応している。

　犯罪事実が厳格な証明の対象であることは争いない。すなわち、主観的・客観的構成要件に該当する事実はもちろんのこと、**違法性阻却事由**又は**責任阻却事由**に当たる事実の不存在についても、厳格な証明が必要である。そして、厳格な証明の対象となる事実を推測

させる間接事実（→136頁）も、厳格な証明を必要とする。

　刑の重さを規定する事実も厳格な証明の対象である。**刑の加重事由**では、**累犯前料**（刑法56条）が重要である。累犯加重の理由となる前科はいわゆる「罪となるべき事実」ではないのであるが、刑の加重の理由となる事実であって、実質において犯罪構成事実に準ずるものであるので、これを認定するには厳格な証明を要するとされている。**刑の減免事由**には、未遂（刑法43条）、従犯（刑法62条）、心神耗弱（刑法39条2項）、過剰防衛・過剰避難（刑法36条2項・37条1項ただし書）、自首（刑法42条）などがある。

　自由な証明の対象とされるのは**訴訟法上の事実や量刑の資料**である。刑の量定の基礎となる事実は**情状**と呼ぶ。情状には、犯行の動機、手段・方法、被害の程度など犯罪事実に属するものと、犯行後の反省や被害弁償など犯罪事実から独立したものがあり、前者の犯罪事実に属する情状は、犯罪事実自体の立証と不可分の関係にあり、厳格な証明を必要とするのであるが、後者の犯罪事実に属さない情状は、類型化することが難しく厳格な証明に適さない面があり、厳格な証明を要求するとかえって量刑の資料の範囲が狭まりすぎるという面もあり、自由な証明で足りると解されているのである。ただ、情状についても、証拠を相手方に示し、反論を述べる機会を与えるなどの手順は踏んだ方がよいという意見は強く、実質的には厳格な証明によることが多い。

⑶　挙証責任と「疑わしきは被告人の利益に」

　証明の必要がある事実について、取り調べられた証拠によっても存否いずれとも判断できなかった場合は、事実は証明されなかったことになる。このことを、刑事訴訟では、「犯罪事実については検察官に挙証責任がある」と表現する。刑罰を科すと主張する国家が犯罪事実を立証する責任があり、被告人の方に積極的に無罪を立証すべき責任を負わせるのは相当でないと考えられているのである。**疑わしきは被告人の利益に**という原則はこのことを示しているし、

無罪の推定も同様だといってよい。

　犯罪の構成要件に該当する事実、処罰条件である事実、法律上刑の加重理由となる事実の存在については、全て検察官に挙証責任がある。さらに、違法性阻却事由、責任阻却事由、法律上の刑の減免理由となる事実の不存在についても、検察官に挙証責任がある。

　「**合理的な疑いを超える心証**」を裁判官が持たなければならない。被告人に刑罰を科そうというのであるから、かなりの確実さが必要であり、被告人が無罪なのではないかという「合理的な疑い」が残ってはならない。問題は「確実」の中身である。

　「確実」とは、100%とは異なる。刑事裁判は、被告人が犯罪を犯したかどうかという過去の事実を証明しようというものであるから、裁判官も、裁判員も、その場面を直接見聞きすることは不可能であり、一切の推論や評価を排除して、100%の証明を要求すると非常に不合理なことになってしまう。そして、証拠や証言で「犯罪を犯したことに間違いない」と判断することができる場合はあるはずである。裁判官・裁判員は、真っ黒なもののみを有罪にするのではなく、白と黒の中間の「灰色」の部分について、合理的に考えて有罪にしてよいか否かを判断する。

> 最高判平19・10・16（刑集61・7・677）も「合理的な疑いを差し挟む余地がないというのは、反対事実が存在する疑いを全く残さない場合をいうものではなく、抽象的な可能性としては反対事実が存在するとの疑いをいれる余地があっても、健全な社会常識に照らして、その疑いに合理性がないと一般的に判断される場合には、有罪認定を可能とする趣旨である」としているのである。被告人が有罪であることに合理的な疑いが残るか否かの判断は、様々な証拠を総合して判断しなければならない。100のうち1つでも有罪を基礎づけるのと逆の証拠が出てきても、無罪にしなければならないわけではないのである。

Ⅳ　刑事訴訟法理論　　**135**

⑷ 証拠の種類

　裁判における事実認定に使う証言や証拠物の内容・形状などを**証拠資料**と呼ぶ。それに対して、証拠資料の源となる証人や証拠物を**証拠方法**と呼ぶ。証拠方法を取り調べることによって得られるものが証拠資料である。

　証拠方法は、人証・物証・書証に分かれる。**人証**は、証人、鑑定人、被告人などで、尋問・質問によって取り調べる。**物証**とは、犯行に使用された凶器や窃盗の被害品のように、その物の存在及び状態が証拠資料となる物体である。犯行現場も物証の一種である。証拠調べの方法は、展示又は検証である。**書証**とは、その記載内容が証拠資料となる書面のことで、証拠調べの方式によって**証拠書類**と**証拠物たる書面**とに分けられる。前者は書面に書かれた内容が重要なので朗読して調べ、後者は外形も問題となるので展示と朗読の両方が必要になる。

　証拠方法は、目撃者の証言、被害者の証言、被告人の自白、又はそれらの者の供述調書などのように、犯罪事実を直接証明するのに用いられる**直接証拠**と、犯罪事実を直接にではなく、一定の事実を証明することにより犯罪事実の証明に役立つ**間接証拠**に分かれる。犯罪事実は、直接、決定的な一つの証拠で認定されるというより、多くの間接事実の積み重ねによって推論されていくことが多い。もちろん、間接証拠のみによって、有罪を認定することも可能である。

　言葉やこれに代わる動作によって表現された供述（認識・判断を述べたもの）が証拠となるものを**供述証拠**といい、証人の証言、供述調書が典型例である。これに対して、物の存在、状態などを証明するための、それ以外の証拠を**非供述証拠**という。犯行に使用された凶器は、その典型であるが、ここで重要なのは、凶器を検証して得られた情報を調書にすると、そこでは検証者による認識・評価の叙述が含まれる

ので、供述証拠となる（なお、両者の限界は微妙なこともある。写真
や録音録画テープ等は、撮影・録画の仕方によっては供述証拠となる
余地もある）。

　供述証拠は、人の記憶に残った犯罪の痕跡を再現したり、供述者の
証拠方法についての評価が入り込むので、客観的事実と乖離する可能
性がある。①見聞きし、②記憶し、③表現するステップで、供述内容
が不正確になってしまう危険性が潜んでいる。そこで、原則として、
相手方のチェック、すなわち反対尋問の機会を与えて誤りの有無と程
度を確かめた上でなければ証拠にできないと考えられている。これに
対し、非供述証拠は、このような危険を考慮する必要がないといえよ
う（現場に残された凶器は、法廷で証拠調べをする際も、同じ状態で
あるといってよい）。

　供述者自身の作成した書面を**供述書**といい、供述を他者が書き取っ
たものに供述者が署名押印したものを**供述録取書**という。
　検察官が事情聴取した相手から聴いた供述の内容を記録した書面を
検面調書という。供述者自身にその内容を確認してもらい、内容に間
違いがないとき検面調書に署名・押印してもらうことによって完成す
る。一方、警察官が事情聴取した相手から聴いた供述の内容を記録し
た書面を、**員面調書**と呼ぶ。

⑸　供述証拠と伝聞法則の例外

　相手の**反対尋問**を経ない供述証拠のことを**伝聞証拠**と呼ぶ。「伝
聞証拠は反対尋問によるチェックを経ておらず、誤りが含まれてい
る危険があるので、証拠になし得ない」という原則を**伝聞法則**とい
う。具体的には「公判期日における供述に代わる書面」及び「公判
期日外における他の者の供述を内容とする供述」（伝聞証言）で、
その元の供述の内容である事実の証明に用いられる証拠のことであ
る。供述証拠が伝聞証拠である場合には、他人又は書面を介して法
廷に提供されるので、裁判官・裁判員が本人に対し直接確かめるこ
とができないし、当事者も反対尋問ができないため、その証明力に

Ⅳ　刑事訴訟法理論　　***137***

ついて吟味できず、かなり疑わしい場合も含まれるので、原則とし
て、証拠として取り調べることはできないが、しかし、伝聞証拠で
も一定の証明力を有することも否定できない。そして、反対尋問権
の行使が不可能な事態も考えられ、また、当事者が放棄することも
あり得るのであるから、伝聞証拠に対する証拠能力の制限は絶対的
なものではない。伝聞証拠については、かなり広く例外が認められ
ていることに注意しなければならない。例外とは、①伝聞証拠の内
容に信頼を置けるような情況があり、②裁判の場で真相を解明する
ためにはそれを証拠とする必要性が高い場合である。

> 検察官と被告人の双方が証拠とすることに同意した書面又は供述は、
> その書面が作成され又は供述されたときの情況を考慮し、相当と認め
> るときに限り、伝聞証拠でも証拠とすることができる（刑訴法326条1
> 項）。**同意**は、原供述者に対する反対尋問権を放棄する意思表示である
> が、それにとどまらず積極的に証拠に証拠能力を与える当事者の行為
> であると解されている。実際上は、元の供述者を証人として喚問して
> みてもその書面と同じ供述しか得られないと思われる場合に、反対尋
> 問権を放棄する例が多いのである。さらに、実務的には、反対尋問の
> 余地のない被告人の自白調書等についても同意される例が少なくない。

検面調書は、第1に、供述者の死亡等による供述不能の場合には、
それのみで証拠能力が認められ、供述者が公判準備又は公判期日に
おいて検察官の面前で行った供述と相反するか又は実質的に異なっ
た供述をしたときで（相反性）、しかも公判準備又は公判期日にお
ける供述よりも検察官の面前で行った供述を**信用すべき特別の情況**
の存する場合（特信性）にも証拠能力が認められる。同一人が検察
官の面前と裁判所の面前で異なった供述をしたときに関するもので、
実務上は、最も重要な働きをしている。特信性が備わる場合に限っ
て、法廷外における前の供述に実質証拠としての証拠能力を認めて
いるのである。

被疑者以外の人の供述内容を記録した検面調書は、員面調書より

も、刑事裁判の証拠として使える場合が多いことに注意しなければ
ならない。貝面調書の場合、被告人らが証拠とすることに同意しな
い限り、たとえ証人が法廷で証言した内容と貝面調書の内容が違っ
ていても、証拠とすることができないのであるが、検面調書の場合、
法廷で証言した内容と検面調書の内容が違った場合、検面調書の供
述の方が法廷での証言よりも信用できるという特別の事情がある場
合には（例えば、証人が被告人から仕返しされることを恐れて、法
廷では本当のことが言えないような場合や、裁判までに時間が経っ
たことで、記憶が曖昧になっている場合等）、被告人や弁護人が証
拠とすることに反対しても、検面調書を証拠として使うことができ
る。

　検証調書・実況見分調書も伝聞証拠ではあるが、その作成者が証
人として真正に作成したものであることを供述したときは、証拠と
することができる。**真正に作成されたものであることの供述**とは、
間違いなく自分が作成したという供述（作成名義の真正）と、検証
したところを正しく記載したという供述（記載内容の真正）を併せ
たものと解されている。なお、当事者は、作成者が作成の真正につ
いて証言する機会に、併せて観察や記載の正確性についても反対尋
問をすることができるとされている。この程度の要件で、伝聞法則
の例外が認められるのは、検証が五官の作用により事物の存在・状
態を観察して認識することであり、評価というような主観的要素の
入り込む余地が比較的少なく、しかもその結果は単なる記憶によっ
て保存することが困難なものも多く（形状、色彩、距離等）、検証
直後に作成された書面の方が正確性や詳細さにおいて口頭による場
合より優れているといえるからだと説明されている。

⑹　違法収集証拠排除

　違法な手続によって収集されたものは裁判における証拠から排除

Ⅳ　刑事訴訟法理論　　***139***

すべきであるという理論である。捜査段階における人権侵害をチェックするために証拠法でも対応すべきものとする考え方であり、「令状主義等による事前のチェックや、違法捜査に対する事後的な措置のみでは、刑事訴訟の適正が完遂できない」という考えが基本に存在する。証拠を収集する手続に違法があると、その証拠能力が否定される場合があることは、明文の規定はないものの、判例によって採用された原則とされ、一般にも認められている。なお、供述証拠については、憲法38条2項や刑訴法319条1項により、拷問や長期の拘禁の後の自白など違法捜査によって得られたものが証拠から排除されている。その結果、違法収集証拠というときは主に非供述証拠を指すことが多い。

判例は、当初、「押収物は押収手続が違法であっても物其自体の性質、形状に変異を来すはずがないから其形状等に関する証拠たる価値に変りはない」として（最判昭24・12・13裁判集刑事15・349）、排除法則に消極的であった。しかし、現行刑訴法施行後約30年を経て、最判昭53・9・7（刑集32・6・1672）が違法収集証拠排除の原則を認めるに至った。最高裁が証拠能力の判断に適正手続の観点を加味するようになった点は、旧刑訴法的な考え方からの脱却の現れとも解し得るが、判例が真実発見の視点を放逐したものではないことも、確認しておかなければならない。最判昭53・9・7は、「**令状主義の精神を没却するような重大な違法**があり、これを証拠として許容することが、**将来における違法な捜査の抑制の見地からして相当でないと認められる場合**においては、その証拠能力は否定されるものと解すべきである」と判示している。違法収集証拠に基づいて発見された派生証拠も、両証拠の関連性などを考慮して証拠能力を判断する。

最近は、証拠に関し、科学的な進歩が著しく、毛髪、声紋等に加え、ＤＮＡ型鑑定等も広く行われている。それらの科学的知見は最

大限に活かされなければならず、証拠の保管にも十分な注意が必要である。

最判昭53・9・7（刑集32・6・1672）は、深夜、覚醒剤事犯の多発地帯で挙動不審のXを職務質問し、所持品の提示を求め、さらに他のポケットを触らせてもらうと言って、これに対して何も言わなかったXの上衣とズボンのポケットを外から触ったところ、「刃物ではないが何か堅い物」が入っている感じでふくらんでいたので、その提示を要求したが応じないので、A巡査が同ポケット内に手を入れて取り出すと、それはちり紙の包とプラスチックケース入りの注射針１本であり、ちり紙の包を開披してみると、覚醒剤粉末が入っており、覚醒剤不法所持で現行犯逮捕したという事案に関し最高裁は、所持品検査の適法性判断については、職務質問に附随する所持品検査の許容限度を逸脱したものとし、証拠物の差押手続も違法であるとした。

そして、「**違法に収集された証拠物の証拠能力**については、憲法及び刑訴法になんらの規定もおかれていないので、この問題は、**刑訴法の解釈**に委ねられている」とし、刑訴法１条の見地から、「証拠物は押収手続が違法であっても、物それ自体の性質・形状に変異をきたすことはなく、その存在・形状等に関する価値に変りのないことなど証拠物の証拠としての性格にかんがみると、その押収手続に違法があるとして直ちにその証拠能力を否定することは、事案の真相の究明に資するゆえんではなく、相当でない」が、「証拠物の押収等の手続に、憲法35条及びこれを受けた刑訴法218条１項等の所期する**令状主義の精神を没却するような重大な違法**があり、これを証拠として許容することが、**将来における違法な捜査の抑制の見地からして相当でない**と認められる場合においては、その証拠能力は否定されるものと解すべきである」と判示し、本件巡査の行為は、所持品検査として許容される限度をわずかに超えて行われたに過ぎず、令状主義に関する諸規定を潜脱しようとの意図があったものではなく、また、強制等のされた事跡も認められないので、押収手続の違法は必ずしも重大ではないとし、証拠能力を認めた。

最2小判平15・2・14（刑集57・2・121）：窃盗容疑で逮捕状が発付されていたXの身柄を確保するため、逮捕状を携行しないでX方に赴き、任意同行に応ずるようXを説得したが、Xはこれに応じなかったところ、路上で警察官らに逮捕された。Xは抵抗したものの、警察車両に乗せられ警察署に連行され、到着後、間もなく警察官から本件逮捕状を呈示された。本件逮捕状には、本件現場で本件逮捕状を呈示してXを逮捕した旨のA作成名義の記載があり、さらに、Aは同日付でこれと同旨の捜査報告書を作成した。Xは、警察署内で任意の採尿に応じ、鑑定の結果、覚醒剤が検出され、覚醒剤取締法違反被疑事件についてX方を捜索すべき場所とする捜索差押許可状が発付され、同日執行され、X方から覚醒剤1袋が発見され差し押さえられた。警察官は、本件逮捕状を本件現場でXに示すとともに被疑事実の要旨を読み聞かせた旨の証言をしたが、1審は、警察官らの証言の信用性を否定し、逮捕時に逮捕状不呈示の違法があり、違法な逮捕手続を利用して採取されたXの尿に関する鑑定書、捜索差押許可状により押収された本件覚醒剤等の証拠を排除し、覚醒剤の使用と所持に関してXを無罪とし、控訴審もこれを是認した。

最高裁も、「本件逮捕には、逮捕時に逮捕状の呈示がなく、逮捕状の緊急執行もされていないという手続的な違法があるが、それにとどまらず、警察官は、その手続的な違法を糊塗するため、……逮捕状へ虚偽事項を記入し、内容虚偽の捜査報告書を作成し、更には、公判廷において事実と反する証言をしているのであって、**本件の経緯全体を通して表れたこのような警察官の態度を総合的に考慮すれば、本件逮捕手続の違法の程度は、令状主義の精神を潜脱し、没却するような重大なものであると評価されてもやむを得ない**」とし、このような違法な逮捕に密接に関連する証拠を許容することは、**将来における違法捜査抑制の見地**からも相当でないとして、その証拠能力を否定した（さらに最判令3・7・30裁時1773・1参照）。

(7) 自白の意義

　自白は、事実認定において「証拠の王」として重んじられてきた時期があった。そのこともあって、獲得方法などに大きな問題を抱

えてきたのである。そこで、憲法及び刑事訴訟法は、自白について証拠法上の特別の制約を設けて、慎重な取扱いを定めている。証拠能力の要件である任意性（→143頁）と、証明力に関する補強証拠（→145頁）がこれである。

　自白とは、自分の犯罪事実を認める被告人自身の供述である。自分に不利益な事実を認める供述を**承認**といい、自白も承認の一種であるが、犯罪事実の**全部又は主要部分**を認める供述でなければならない。犯罪事実の一部しか認めない供述、間接事実だけを認める供述、前科の存在を認める供述などは、承認ではあるが自白ではないのである。構成要件該当事実を全て認めているが、正当防衛などの**違法性阻却事由**などを主張しているような場合、やはり、客観的構成要件事実（罪体）を認める以上は自白とすべきである。自白は、どのような時期に誰に対してなされたものでもよいし、口頭によるか書面によるかは問わない。

⑻　自白法則

　自白は、証拠法上、他の供述証拠と区別して扱われる。強制的要素の加わった可能性のある自白、すなわち**任意性を欠く疑いのある自白を排除**するのである（**自白法則**）。憲法38条2項は、「強制、拷問若しくは脅迫による自白又は不当に長く抑留若しくは拘禁された後の自白は、これを証拠とすることができない」と規定し、刑訴法319条1項は、この憲法の規定と同一内容の自白のほか、「その他任意にされたものでない疑のある自白」についても、証拠とすることができない旨明示している。

　任意性のない自白が証拠とならない実質的な根拠に関しては、①強制、拷問等によって得られた任意性のない自白は虚偽内容を含む可能性が高く信用性が低いので証拠にならないとする**虚偽排除説**、②供述の自由を中心とする被告人の人権を保障するため、強制、拷

問等によって得られた任意性のない自白は証拠とならないとする**人権擁護説**、③憲法38条2項、刑訴法319条1項は、自白採取の過程に違法がある場合に、その自白を排除する趣旨を規定したものであるとする**違法排除説**が主張されている。刑訴法319条の解釈として、「任意性」の概念から切り離された違法手段一般を問題とすることには無理があり、虚偽排除と人権擁護の組み合わせとして理解すべきである。

　強制行為によって得られた自白は、任意性のない典型例で、刑訴法319条の示す「強制、拷問、脅迫」とは、肉体的又は精神的な苦痛を与える強制行為の全てを含む表現であるといえる。強制、拷問、脅迫が加えられて得られた自白であると認められる以上、その自白が**真実であると判明しても、証拠となし得ない**のである。その範囲では、虚偽排除説は人権擁護説によって修正されざるを得ない。

　不当に長く抑留又は拘禁された後の自白も、任意性のない自白の典型例である。「不当に長い」とは、虚偽排除説の視点からは、虚偽の自白をしてでも釈放を求めたいと思うような苦痛を与えるほど長いことをいい、人権擁護説の観点からすれば、供述の自由を侵す程度に長いことを意味することになる。不当に長いか否かは、犯罪の罪質、重大性、勾留の必要性などの客観的事情に加えて、年齢、性格、健康状態など被疑者固有の事情を総合して、具体的な事件ごとに判断されざるを得ないのである。

　　強制、拷問又は脅迫による自白、不当に長く抑留又は拘禁された後の自白以外であっても、任意性の認められないものがあり得る。**手錠をかけたままの取調べによる自白**は、通常は任意性を欠くと考えられている。供述の自由を担保するためには、施錠しないで取り調べるのが原則。**糧食の差入れが禁止されている間の自白**についても、特別の事情のない限り、任意性に疑いを生じさせるものとされている。そして、**約束による自白**も排除される。捜査機関が、被疑者に対し、自白

すれば起訴猶予にする、あるいは釈放するなど利益になる処分を約束し、その結果被疑者が自白したような場合である（最判昭41・7・1刑集20・6・537）。このような自白は、利益目当ての虚偽の自白の可能性が強いので、任意性に疑いが生じると考えられる。また、**偽計による自白**も排除される。偽計によって被疑者が心理的強制を受け、虚偽の自白が誘発されるおそれが濃厚であるから、やはり任意性に疑いが生じるのである。他方、**追及的あるいは理詰めの取調べによる自白**（最大判昭23・11・17刑集2・12・1565参照）、**誘導的な取調べによる自白**、黙秘権の告知を欠いた取調べによる自白、数人がかりでの取調べによる自白等は、直ちに任意性に疑いを生じさせるものではないとされている。もっとも、いずれの場合も、当該具体的な取調べの態様いかんによっては、任意性に疑いを生じさせる場合もないわけではないことに注意しなければならない。

⑼　自白の証明力と補強証拠

　自白についても、その**証明力**は慎重に判断されなければならない。①自白に至る経過や動機を検討するほか、②内容の合理性が判断されなければならないのである。「供述内容はつじつまが合っているか」という判断は、裁判員にとって重要なものである。その際、③犯人でなければ知り得ないような事情が含まれているか否かをチェックすることが重要だとされている。犯行の主要な部分にそのような事情（いわゆる秘密の暴露）が含まれていれば、その自白は原則として信用できるものと考えられるからである。

　被告人を有罪とするには、自白だけではダメなのである。任意性があり信用性も認められる自白によって、裁判官がどれだけ強い有罪の心証を得たとしても、他の証拠がなければ有罪としてはならない。このように自白しか証拠がない場合は有罪となし得ないことを**補強法則**と呼ぶ。補強法則は、自白の証明力の制限、すなわち自由心証主義の唯一の例外なのである。

　ところで、被告人に不利益な唯一の証拠が第三者の供述であれば、

Ⅳ　刑事訴訟法理論　　**145**

それのみで被告人を有罪とすることができるのに、なぜ自白に限っ
て補強証拠を必要とするのか。それはまず、自白は、犯罪体験者の
告白として過大に評価される危険があるからである。そのために、
自白は、歴史的にも証拠の中で最も重んじられてきたが、他方で、
任意性のない虚偽の自白によって誤判を招いた例も少なくなかった。
第三者の供述であれば反対尋問の機会があるが、自白にはその機会
がないのである。そこで、自白の偏重を避けることによって誤判を
防止し（虚偽排除的側面）、併せて間接的には、自白の強要を防止
するため（人権擁護的側面）、自白に補強証拠を必要としたものと
考えられる。

事項索引

あ行

相まって………………………………51
暗数………………………………………91
一部行為の全部責任の原則………74
一般予防論………………………………25
違法収集証拠排除…………113、139
違法性の意識の可能性……………54
違法排除説……………………………144
医療観察法……………………………70
因果関係………………………………39
因果関係の錯誤………………………58
因果関係論……………………………49
因果的共犯論…………………………72
インターネット犯罪………………89
員面調書………………………………137
疑わしきは被告人の利益に………134
応報刑論…………………………25、26
小野清一郎…………………………15、28

か行

外国人犯罪……………………………9
蓋然性説………………………………55
確信………………………………………133
可視化……………………………………124
過失………………………………………60
過剰防衛…………………………………67
価値相対主義…………………………21
間接証拠………………………………136
間接正犯…………………………41、72
危険犯…………………………………39
起訴状一本主義……………126、127
起訴猶予………………………………95
期待可能性……………………………68
欺罔行為………………………………85
客体の錯誤……………………………57
客体の不能……………………………47
客観説……………………………………50

客観的危険説…………………………47
キャッシュカードの暗証番号………88
求刑………………………………………131
旧刑訴……………………………………97
旧派………………………………………26
急迫………………………………………65
急迫不正な侵害………………………64
糾問主義…………………………………99
糾問的捜査観…………………………100
教育刑論…………………………………27
供述書……………………………………137
供述証拠………………………………136
供述録取書……………………………137
行政警察活動…………………………114
共同正犯…………………………………71
共犯従属性説…………………………72
共犯処罰根拠論………………………72
共犯独立性説…………………………72
共謀共同正犯…………………………75
共謀罪……………………………………45
共謀の射定……………………………77
業務行為………………………………63
虚偽排除説……………………………143
極端従属性説…………………………73
挙証責任………………………………134
緊急逮捕…………………………92、119
緊急避難…………………………………67
禁制品……………………………………83
具体的危険説…………………………47
具体的符合説…………………………58
クレジットカード詐欺……………38
刑罰………………………………………23
刑務所の民営化………………………9
結果………………………………………39
結果回避可能性………………………43
結果無価値論…………………………31
厳格な証明……………………………133
現行犯逮捕………………………92、118

事項索引　　**147**

検察審査会	96
検証	124
検証調書	124
検面調書	137、138
故意	53
コインハイブ事件	90
行為無価値論	31
拘禁刑	23
構成要件	35
公訴棄却	113
公訴事実	127
行動制御能力	69
公判前整理手続	129
勾留	94
勾留理由開示	119
個人主義的価値観	32
コピーの文書性	38
コンスピラシー	45

さ行

罪刑法定主義	35
サイバー警察局	90
サイバー攻撃	20
サイバー社会	89
サイバー犯罪	89
裁判員制度	127
作為義務	43
錯誤	56
ＧＰＳ発信器を取り付けた捜査	105
死刑	29
事実認定	131
事実の錯誤	57
実況見分調書	125、139
実行（終了）未遂	44
実行行為	40
実行の着手	41
質的過剰	67
質問付随性	115
自動車検問	117
自白	142、143
自白法則	143

司法警察活動	114
社会防衛論	27
自由主義的要請	36
自由心証主義	132
自由な証明	134
従犯	71
主観説	50
準起訴手続	96
準現行犯逮捕	119
準抗告	113
承継的共同正犯	76
条件関係	49
条件説	50
証拠開示	130
証拠裁判主義	132
証拠調べ	130
証拠能力のある証拠	132
証拠の王	142
証拠の優越	133
情状	134
承認	143
証人尋問	131
少年簡易送致	92
少年犯罪	9
証明力	132、145
条理	43
職務質問	93、114
所持説	82
所持品検査	115
書証	136
職権主義	98
人権擁護説	144
人証	136
心神耗弱者	69
心神喪失者	69
真正不作為犯	42
真相の究明	98
人定質問	130
新派	27
信用すべき特別の情況	138
信頼の原則	61

推測 ·······················133
ストーカー·····················16
性格責任論·····················27
制限故意説·····················56
制限従属性説···················73
正当化事由·····················62
正当行為・業務行為···········63
正当防衛·······················64
正犯···························41
責任共犯論·····················72
責任主義·······················68
責任説·························56
責任能力·······················69
積極加害意思···················65
接見··························118
折衷説·························50
先行行為·······················43
造意者·························76
捜索・差押え·················124
捜査の構造論·················100
捜査の端緒·····················93
相対的応報刑論·················28
相当因果関係説·················50
相当性·························67
組織的犯罪処罰法···············45
措置入院·······················70

た行

逮捕··························118
滝川幸辰·······················28
弾劾の捜査観·················100
団藤重光·······················15
治安···························6
着手（未終了）未遂···········44
中止未遂（中止犯）·············48
抽象的事実の錯誤論·············59
直接証拠······················136
治療行為·······················63
通常逮捕·······················92
通信傍受······················105

テロ等準備罪···················45
電気窃盗事件判決···············5
電気窃盗判例···················37
伝聞証拠の排除················133
伝聞法則······················137
等（同）価値性·················42
同意··························138
同害報復·······················25
道義的責任論···················26
統合失調症·····················70
当事者主義·····················98
同時犯·························74
特信性························138
特定少年·······················9
特別刑法·······················24
特別予防論·····················25
取調べ受忍義務················123

な行

日系ブラジル、ペルー人·········10
任意捜査の原則················101
認容説·························55
練馬事件判決···················75

は行

犯罪··························23
犯罪事実の認識（認容）·········54
犯罪対策閣僚会議··········6、12
反対尋問······················137
非供述証拠····················136
微罪処分·······················92
必要的減免·····················49
必要的弁護事件················129
必要最小限度の行為·············66
評議··························131
不作為犯·······················42
不真正不作為犯·················42
物証··························136
不能犯·························47
不法原因給付物·················83
プライバシー侵害·······20、108、112

事項索引　　**149**

振り込め詐欺……………………85
ボアソナード…………………… 4
幇助犯……………………………71
法定的符合説……………………58
冒頭手続 ………………………130
法は家庭に入らず………………16
方法の錯誤………………………57
方法の不能………………………47
補強証拠 ………………………145
本権説……………………………83

ま行

未必の故意………………………55
ミランダ・ルール ……………123
民事不介入………………………16
民主主義的要請…………………36
無罪の推定 ……………………135
明確性の理論……………………36
目には目を、歯には歯を………29
目的刑論…………………………25
黙秘の不利益推定 ……………102

や行

やむを得ずにした行為……………67
要素従属性………………………72
予備………………………………45

ら行

離脱………………………………77
量的過剰…………………………67
令状があれば許される処分 ……106
令状主義 ………………………101
令状なしでも許される処分 ……106
論告………………………………131
ロンブローゾ……………………27

150

著者略歴

前田雅英（まえだ　まさひで）
1949年　東京都に生まれる
1972年　東京大学法学部卒業
1975年　東京都立大学法学部助教授
2003年　東京都立大学法学部長
2015年　日本大学大学院法務研究科教授
現　在　東京都立大学法学部名誉教授
　内閣情報セキュリティ本部員。中教審、中医協等の委員のほか、法と精神医療学会会長、警察政策学会会長等を歴任。

主要著書

『刑法総論講義第7版』（東京大学出版会）、『刑法各論講義第7版』（東京大学出版会）、『条解刑法第4版』（弘文堂）、『刑事訴訟法講義第6版』（東京大学出版会）など。

刑事法の要点　第二版

平成29年10月20日　初　版　発　行
令和4年6月20日　第二版発行

著　者　前　田　雅　英
発行者　星　沢　卓　也
発行所　東京法令出版株式会社

112-0002	東京都文京区小石川 5 丁目17番 3 号	03(5803)3304
534-0024	大阪市都島区東野田町 1 丁目17番12号	06(6355)5226
062-0902	札幌市豊平区豊平 2 条 5 丁目 1 番27号	011(822)8811
980-0012	仙台市青葉区錦 町 1 丁目 1 番 10 号	022(216)5871
460-0003	名 古 屋 市 中 区 錦 1 丁 目 6 番 34 号	052(218)5552
730-0005	広 島 市 中 区 西 白 島 町 11 番 9 号	082(212)0888
810-0011	福 岡 市 中 央 区 高 砂 2 丁目13番22号	092(533)1588
380-8688	長 野 市 南 千 歳 町 1005 番 地	

〔営業〕TEL　026(224)5411　FAX　026(224)5419
〔編集〕TEL　026(224)5412　FAX　026(224)5439
https://www.tokyo-horei.co.jp/

© MASAHIDE MAEDA Printed in Japan, 2017
　本書の全部又は一部の複写、複製及び磁気又は光記録媒体への入力等は、著作権法上での例外を除き禁じられています。これらの許諾については、当社までご照会ください。
　落丁本・乱丁本はお取替えいたします。
ISBN978-4-8090-1441-3